人氣手帳版式設計指南

飛樂鳥工作室　著

PREFACE

前言

作為市面上首本專業手帳版式設計書，我要好好展示一下
我的可愛和與眾不同。

很多新朋友都覺得手帳版式設計很難，或是著迷已久沒有
新素材可用了。正是在你們的呼喚之下，誕生了我這本專
門為手帳愛好者度身定制的版式設計教學。

我擁有目前市面上最齊全的版式設計例子，從文字、裝飾、
配色等角度結合案例講解；也有對比鮮明的 Before 和 After
案例、滿滿的 tips，讓你避開版式設計誤區的同時輕鬆掌
握裝飾小亮點；更推薦了各式各樣的文具、紙膠帶，從購
買到使用，全方位幫助你打造一本美美的手帳。

作為飛樂鳥工作室的手帳書，繼《創意手帳指南》之後，
我的實力也很厲害。相信跟著我，你會更好地瞭解、享受
手帳。還等甚麼？快翻開我，一起去手帳世界裏遨遊吧～

願我能和你的手帳成為好朋友！

CONTENTS

目 錄

Part 1 文具介紹

1.1 手帳本的尺寸及選擇

1.2 裝飾手帳的實用工具

Part 2 版式設計的技巧分享

2.1 簡單易學的方框分區法

2.2 確保版面重心穩定的排版法

Part 3 文字編排在手帳中起到的作用

Part 4 巧妙的裝飾讓手帳更精美

Part 5 用好看的配色來吸引眼球

使用説明

本小節主講的內容

根據排版技巧修改
後的手帳頁面

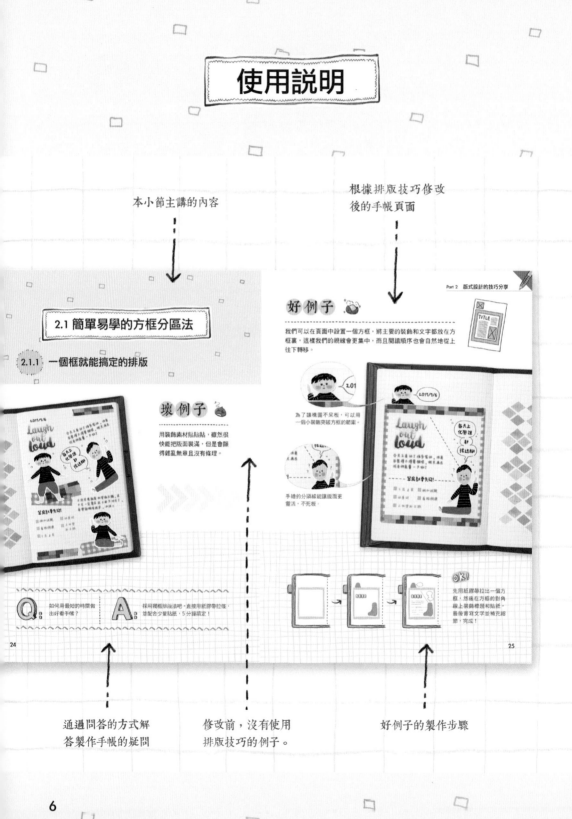

2.1 簡單易學的方框分區法

2.1.1 一個框就能搞定的排版

Part 2 版式設計的技巧分享

好例子

我們可以在頁面中設置一個方框，將主要的裝飾和文字都放在方框裏，這樣我們的視線會更集中，而且閱讀順序也會自然地從上往下轉移。

2.01

為了讓版面不呆板，可以用一個小裝飾突破方框的範圍。

手繪的分區線能讓版面更靈活，不呆板。

壞例子

用裝飾素材貼貼貼，雖然很快能把版面裝滿，但是會顯得雜亂無章且沒有條理。

OK!

先用紙膠帶拉出一個方框，然後在方框的對角線上裝飾標題和貼紙，最後書寫文字並補充細節，完成！

Q 如何用最短的時間做出好看手帳？

A 採用揭框排版法吧。直接用紙膠帶拉框，並配合少量貼紙，5分鐘搞定！

24

25

通過問答的方式解答製作手帳的疑問

修改前，沒有使用排版技巧的例子。

好例子的製作步驟

本書的 Part1 是工具介紹，Part2 採用修改前和修改後兩種案例對比，讓你能直觀地感受到排版技巧的重要性。Part3、4、5 會從文字編排、裝飾元素以及顏色配搭等方面配合手帳案例以及詳細的製作步驟讓你在學會排版技巧的基礎上，讓手帳頁面更好看！

在前面兩個正反例的基礎上，進行更多的舉一反三，為你展示更多的排版技巧。

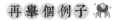

再舉個例子

1 方框置於底部

方框下移能使視覺重心更平穩。主要裝飾可以放在框外，這樣能讓框內的文字區域更簡潔純粹。

可以用紙膠帶畫框隔桌子的外形

2 方框圍繞頁面邊緣

將方框放大至整個頁面的邊緣，所有的文字和裝飾都在框內，這樣的好處是書寫範圍擴大了，能記錄更多的內容。

TITLE

大面積貼的紙膠帶要選素淨款，不然會很辣眼睛。

這裏的紙膠帶要選取不透明的或者自帶白感的款式

3 留白方框

先用紙膠帶劃定出方框的輪廓，然後再將框外的區域全部貼滿，這樣能使框內的內容更加顯眼。

TITLE

Tips 留白方框法除了用紙膠帶外，還能用整張的紙！你可以買好看的背景紙，也可以收集傳單或雜誌上的美圖。快跟著我們一起動手吧！

HO BO

選擇一個好看的紙，將它裁成本子內頁大小。

用筆勾畫出補刀路線，隨後用剪刀和尺子將紙剪出一個方形。

然後用膠將框子，將紙張裱在本子邊緣，完成。

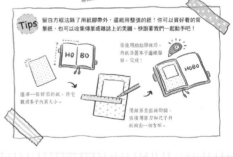

HOBO

這裏是和展示版式有關的 tips，有很多實用技巧可以學習。

可直接套用的手帳版式大公開

集合一 單頁版式

    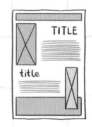

  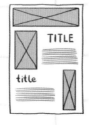 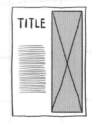 

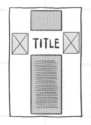    

  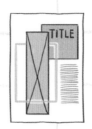  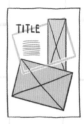

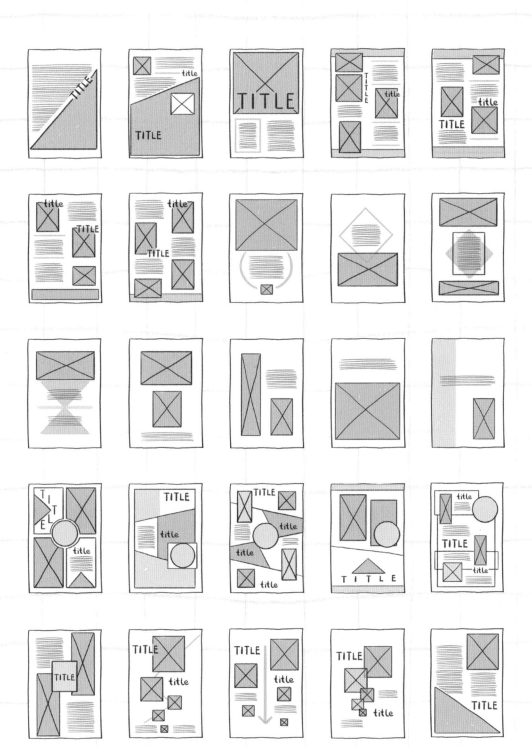

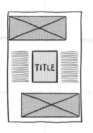    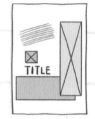

 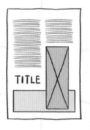   

  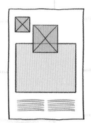  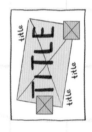

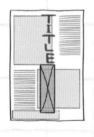    

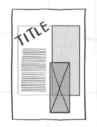 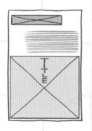   

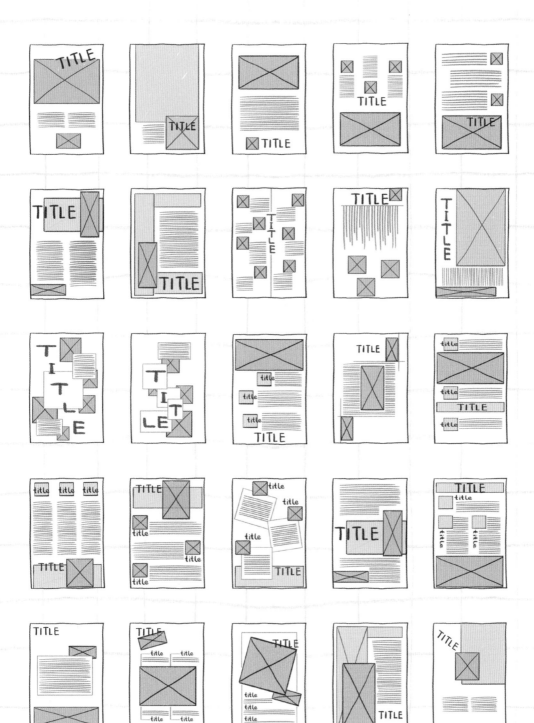

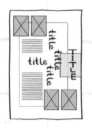 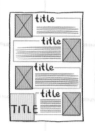 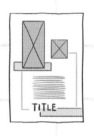 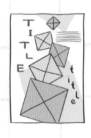 

 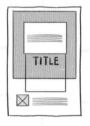   

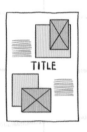  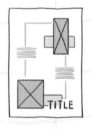  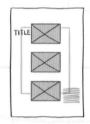

 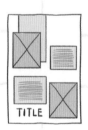 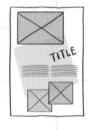  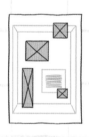

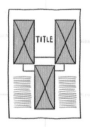  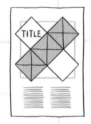 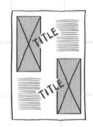 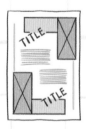

集合二 跨頁版式

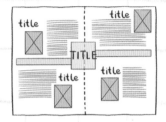
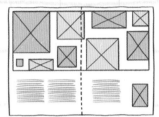
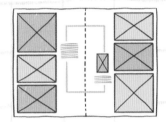

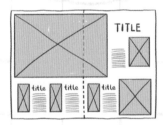
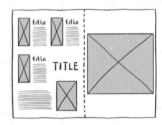

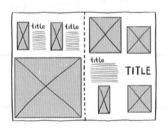
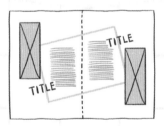
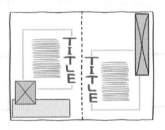

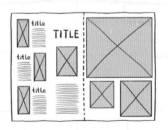
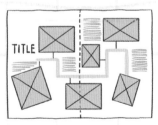
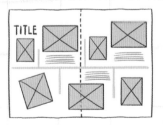

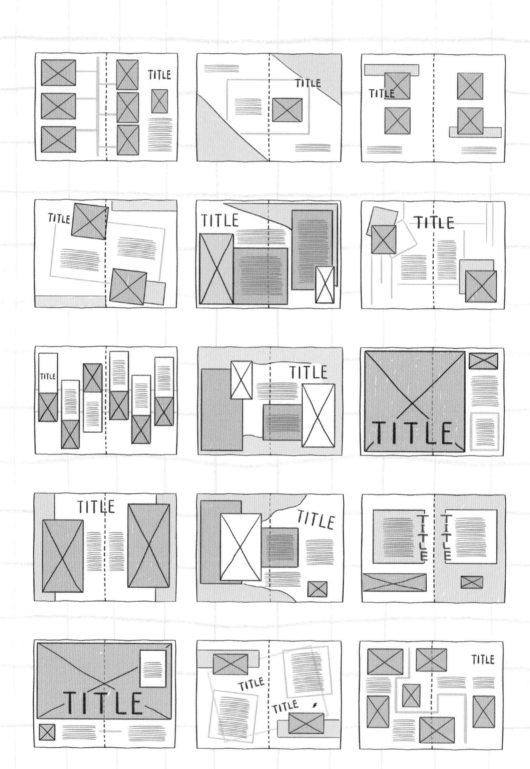

Part 1

文具介紹

1.1 手帳本的尺寸及選擇

1.1.1 手帳本的不同尺寸對比

手帳本的大小是我們拿到本子後最直觀的印象。本子越小，就越容易攜帶；本子越大，能夠書寫的內容就越多。

一般推薦給新手的都是 A6 本子，因為它不是特別大，很快就能填滿。但如果你很多事情要記錄，那麼 A5 會更適合你。

超小的 NT 護照本拿在手上

各尺寸長闊資料：
TN 護照本：88 mm x 124 mm
A6：105 mm x 148 mm
B6：128 mm x 182 mm
Hobo Week：96 mm x 186 mm
A5：148 mm x 210 mm
TN：110 mm x 210 mm

（如果大家對手帳本的品牌還不太瞭解，可以購買《創意手帳指南》）

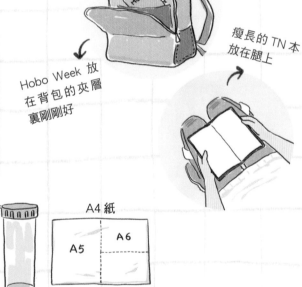

Hobo Week 放在背包的夾層裏剛剛好

瘦長的 TN 本放在腿上

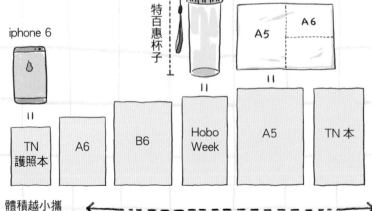

iphone 6

特百惠杯子

A4 紙

A6

A5

| TN 護照本 | A6 | B6 | Hobo Week | A5 | TN 本 |

體積越小攜帶越方便 ←———————→ 尺寸越大記錄空間越大

1.1.2 手帳本的版式類型選擇

手帳本和普通本子最大的區別是它有很多能豐富我們生活的版式設計。

我們可以用規劃類的本子提高工作效率，用自由記錄類的本子收藏生活回憶。你更喜歡哪一種呢？

【月計劃】
一般在本子的前幾頁，12 個月都有，能夠提前規劃一整月的安排。

【週計劃】
將一週的時光記錄在一頁裏，左頁可簡要記錄每天的事項，右頁是空白頁面，可以隨心記錄你的感受。

【三年日記】
每天可寫一句話，三年的成長一眼就可以看見，寫完後成就感會爆棚！

【自定義】
版式和一日一頁類似，但日期是空白的可以自己填，自由度更高。

【一日一頁】
每天的日期是固定的，有夠足夠的空白面積來供你自由發揮！

【自我手帳】
由時間軸、願望清單、life 分冊等版式組成，用來輔助工作能大大提高效率。

【空白頁】
沒有任何版式，紙質一般都很好，能 Hold 住鋼筆、水彩等文具，適合創作慾旺盛的人！

1.1.3 手帳本的偏向性選擇

市面上的手帳本多不勝數，而且在紙質和版式設計上不完全相同，就算是圈中「老人」也常常會陷入到買買買中。

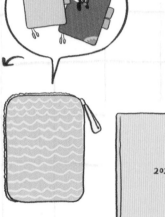

不過好的手帳本都有點貴，這裏我們將常見的本子按照使用偏向性分成了幾類，你可以參考自己平時的使用習慣來選擇。

每年 Hobo 都會出很多好看的書衣，非常能彰顯個性。

【日記類手帳】
日期是固定的，內頁有大面積的空白處夠能夠隨意發揮。品牌首推 Hobo。

這個是 Hobo 的 weeks，用來記週記的。

【旅遊類手帳】
瘦長的身形攜帶很方便，而且可以自己另加內頁，無論是拼貼還是手繪，都能 hold 住！品牌首推 Midori 家的 TN、本子事多的護照本，裏面的內頁是旅行定制的版式，很實用！

【Junk Journal】
Junk Journal 是最近大熱的 Diy 手帳，可以自己製作有趣的內頁，每本都是獨一無二的！有收藏癖的同學可以研究一下。

【效率類手帳】
內頁有非常巧妙的版式設計，夠
能夠幫助你規劃工作和提高效率，
品牌首推國譽自我手帳。

活頁本設計靈活性更高，
Kinbor 和 Filofax 兩家都
很不錯。

【常規類手帳】
外表設計很簡約，紙質
也不錯，有橫線、空白
等多種內頁，隨便用來
記甚麼都可以。品牌推
薦 Moleskine。

【手繪類手帳】
小巧的體積，內頁一
般是水彩紙，可以帶
出去寫生。品牌推薦
Papermood。

【相片拼貼類手帳】
每一頁都是牛皮紙材質，
而且很厚，可以用來拼貼
照片和收集票據。品牌推
薦無印良品的剪貼本。

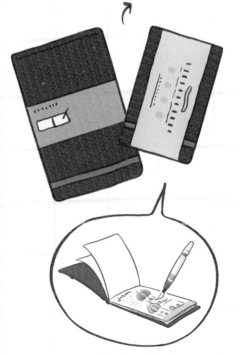

1.2 裝飾手帳的實用工具

1.2.1 人人一支的好用筆具

好用的筆能幫助你更流暢地書寫和繪畫，這裏我們將為你展示一些超受歡迎的筆具，希望你也能用它們創作出超美的手帳作品！

【三菱模塊筆】
長著圓珠筆的外表，但筆芯卻是中性筆，一支更比六支強！

【斑馬復古中性筆】
共有 5 種不艷麗的深沉色，日常書寫超好用。

【自來水筆】
筆身可儲水，外出寫生畫水彩的必備品！

【百樂彩色鉛筆】
彩色自動鉛筆簡直是畫畫勾線的神器！顏色既豐富又明艷，還能換筆芯。

【三菱油性筆】
普通紙膠帶上都不能寫字，但只要用了這支筆，想在哪寫就在哪寫！

【吳竹軟頭筆】
一支筆有兩個顏色，軟軟的筆頭可以畫出有粗細變化的筆觸。

【斑馬螢光筆】
一粗一細兩個筆頭，既能大段勾畫，又能描畫細節。

【笑臉鋼筆】
書寫流暢不必說，光是獨特的笑臉筆尖，就能讓人心情愉悅起來。

1.2.2　手帳圈內的神器盤點

紙膠帶呀，貼紙呀，這種太常見的裝飾品這裏就不提啦！我們
搜集了一些超好玩的小眾文具，既能方便你的生活，又能帶給
你一些新奇和樂趣，快一起來看看吧！

【國譽大容量筆袋】
容量超大，而且能夠站立
在桌面上！比普通筆袋優
勝。

【無印便攜釘書機】
它的體積很小，力度卻很大！
比很多釘書機更好用。

【Midori 橡皮清潔車】
橡皮屑是很難清理的存在，
但是這個小車可以輕鬆地將
之掃除。

【太陽星圓角器】
圓潤的轉角總是比尖銳的
轉角更好看呢，這個神器
能幫助你輕鬆消滅尖角！

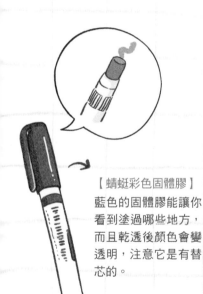

【蜻蜓彩色固體膠】
藍色的固體膠能讓你
看到塗過哪些地方，
而且乾透後顏色會變
透明，注意它是有替
芯的。

【國譽暗記筆】
記單詞的神器！用雙
頭筆塗色後，紅色遮
板可以隱藏字迹。

【Midori 拆信刀】
將它卡在折起的信封或
紙上，爽利的一拉，紙
就成兩半了！

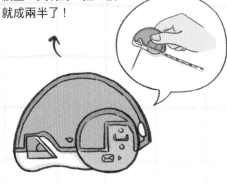

【黃銅夾子】
復古的顏色，精緻的造型，
既能夾本子，又能當拍攝
道具，一舉多得！

【帽子男孩膠帶座】
將紙膠帶串在男孩身
上，就像給他穿了一
件特別的外套。

【國譽角角樂橡皮】
橡皮擦用久了會變得鈍鈍的，這款角
角樂就不存在這個問題，因為它是由
9 個三角形的橡皮組成，有足夠多的
角供你選擇！

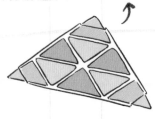

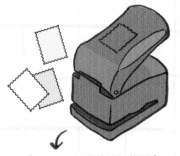

【Decop 立體浮雕壓花器】
和別的壓花器不同，它能壓出具
有浮雕效果的圖案。

【極印手機相片打印機】
小巧又輕便的相片打印機！打印
效果非常棒，補充相片紙也很方
便，是外出旅遊必帶的神器！

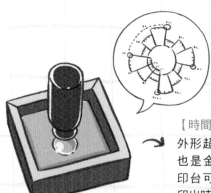

【時間餅印章】
外形超復古，材質
也是金屬的，配合
印台可以無數次地
印出時間餅！

Part 2

版式設計的技巧分享

2.1 簡單易學的方框分區法

2.1.1 一個框就能搞定的排版

 壞 例 子

用裝飾素材貼貼貼，雖然很快能把版面裝滿，但是會顯得雜亂無章且沒有條理。

 如何用最短的時間做出好看手帳？

 採用獨框排版法吧，直接用紙膠帶拉條，並配合少量貼紙，5 分鐘搞定！

好例子

我們可以在頁面中設置一個方框，將主要的裝飾和文字都放在方框裏，這樣我們的視線會更集中，而且閱讀順序也會自然地從上往下轉移。

為了讓構圖不呆板，可以用一個小裝飾突破方框的範圍。

手繪的分隔線能讓版面更靈活，不死板。

OK!

先用紙膠帶拉出一個方框，然後在方框的對角線上裝飾標題和貼紙，最後書寫文字並補充細節，完成！

再舉個例子

可以用紙膠帶模擬桌子的外形

方框下移能使視覺重心更平穩。主要裝飾可以放在框外，這樣能讓框內的文字區域更簡潔純粹。

2 方框圍繞頁面邊緣

將方框放大至整個頁面的邊緣，所有的文字和裝飾都在框內，這樣的好處是書寫範圍擴大了，能記錄更多的內容。

大面積使用的紙膠帶
要選素淨款，不然會
很辣眼睛。

這裏的紙膠帶要選
取不透明的或者自
帶白底的款式

3　留白方框

先用紙膠帶劃定出方框的
輪廓，然後再將框外的區
域全部貼滿，這樣能使框
內的內容更加顯眼。

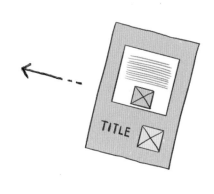

Tips　留白方框法除了用紙膠帶外，還能用整張的紙！你可以買好看的背
景紙，也可以收集傳單或雜誌上的美圖。快跟著我們一起動手吧！

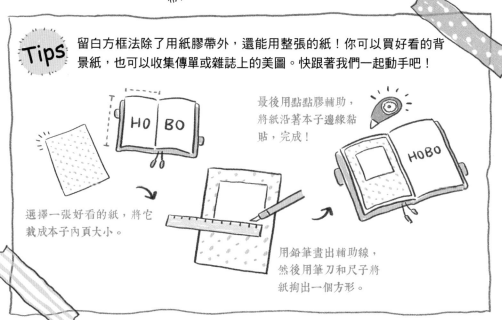

選擇一張好看的紙，將它
裁成本子內頁大小。

用鉛筆畫出輔助線，
然後用筆刀和尺子將
紙摳出一個方形。

最後用點點膠輔助，
將紙沿著本子邊緣黏
貼，完成！

壞 例 子

單一的拉條紙膠帶能起到的裝飾作用很有限，而且每個素材都是單獨存在的，會讓版面顯得很瑣碎。

 為甚麼每次拉條使用紙膠帶，版面都不太好看？

 因為使用方法太單一，會讓版面顯得很單調死板。

好例子

我們可以將不同深淺的紙膠帶重疊起來拼貼，集中在頁面的頂部和底部，這樣能讓頁面上下都很穩固，但是紙膠帶的花色選擇不要太過花哨，容易搶走內文的風頭！

零散的小元素很容易讓版面散亂，這時候用尺子和筆劃一些方框，能讓版面更有序。

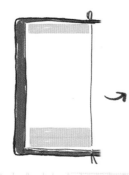

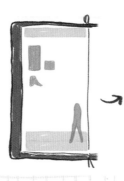

先用基礎款的紙膠帶在頁面頂部和底部拉條，然後將零散的裝飾元素放在左上角和右下角，最後書寫文字，完成！

再舉個例子

1 重點裝飾底部

將裝飾的紙膠帶和小元素集中在頁面底部,能讓頁面的重心更穩定,有種腳踏實地的感覺。

重疊在基礎紙膠帶上的圖案,選擇不透明的材質最好。

2 重點裝飾頂部

在頂部集中佈置紙膠帶,會給人一開頭就有重頭戲的感覺!為了平衡畫面的重心,還可以在底部放置一個深色的圖案做呼應。

最好選淺色的紙膠帶放在頂部,才不會泰山壓頂。

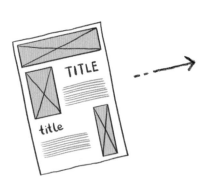

3　重點裝飾中間

紙膠帶集中裝飾在頁面的中間，能起到將版面一分為二的作用呢，而且會讓裝飾更突出！

Tips 好例子中的手繪方框看似複雜，其實是按照俄羅斯方塊的形狀畫的，為了突出方框的手繪感，可以故意在轉角處讓線條延伸一點。

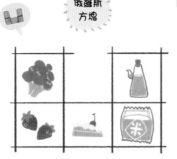

俄羅斯方塊

除了「凹」字形外，還可以畫「凸」字形的邊框。

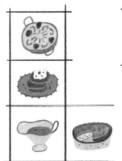

「L」形和「倒L」形適合豎長構圖的頁面

壞例子

當頁面中有很多小元素時，容易讓人視覺分散，抓不住重點。

 如何將散亂的小元素統一起來？

 可以在小元素的底部墊一張背景紙，這樣無論有多少小元素，版面也會很統一。

好例子

選取一張淺色的背景紙，佈置在版面的右邊，並將所有的裝飾元素都佈置在背景紙的上方，這樣文字區域和裝飾區域就分開了，版面變得一目了然！

為了讓左右的區域不分隔得太絕對，可以在標題的下方用和右邊一樣的顏色畫下劃線。

用半圓形的便利貼做出懸浮小島，讓它生長出一片片小森林。

先選淺色的背景紙貼在版面的右邊，然後將裝飾物貼在背景紙上，最後在左邊書寫文字，完成！

再舉個例子

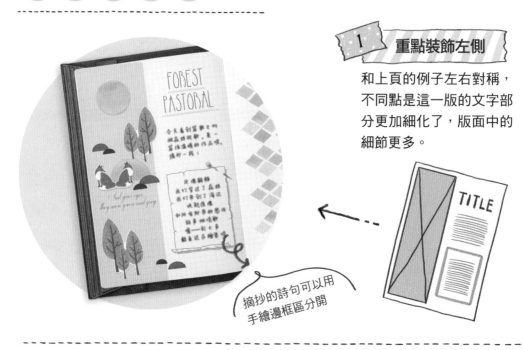

1　重點裝飾左側

和上頁的例子左右對稱，不同點是這一版的文字部分更加細化了，版面中的細節更多。

摘抄的詩句可以用手繪邊框區分開

2　重點裝飾兩側

如果想讓書寫的內文更加顯眼，可以將文字放在頁面的正中間，然後在兩側裝飾同樣的元素，起到襯托的作用。

小石頭擺放成了S形你發現了嗎？

為了讓標題和內文區分開，可以將背景紙裁剪成兩半。

不過背景紙要選擇可以書寫的材質

3　重點裝飾中間

有時候逆轉一下思維也很不錯呢！我們可以將背景紙和內文結合在一起，然後在空白處裝飾小圖案，讓空白的本子內頁，也變成另一種「背景紙」！

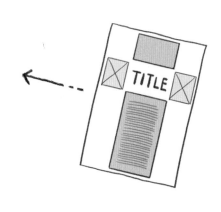

 拉長的文字會讓版面更有設計感，很像雜誌的內頁！

想寫這種字，需要先用尺子和筆劃出三條輔助線，中間的那條線決定了字母重心的高低。

然後將字母寫在輔助線內部，字母間的間距保持一致，就完成了。

像這樣，每個字母都拉成瘦長的形狀，就能變得更有設計感！

2.1.4 每個框都有大作用的多框分區

壞 例 子

零散的內文已經影響到閱讀順序了，見縫插針的裝飾物則使情況更嚴重。

 內文的閱讀順序和裝飾物怎樣設計會不衝突呢？

 可以用靈活的邊框將內文和裝飾物結合起來，而且製作邊框還能讓你的手帳更有細節！

好例子

用手繪邊框和紙膠帶拼貼的邊框，將版面分成上下兩部分，再分別在兩個邊框內做細心的裝飾，這樣版面的閱讀就會從上往下、從左至右非常清晰了。

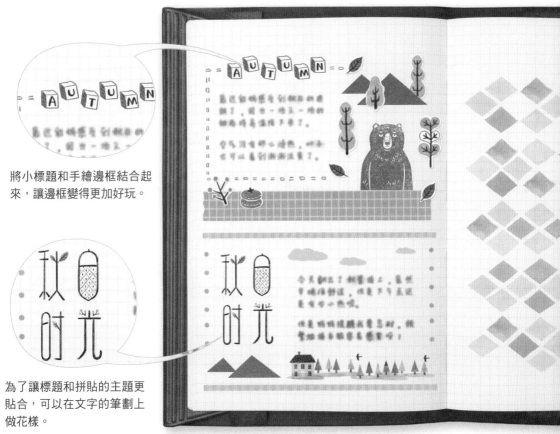

將小標題和手繪邊框結合起來，讓邊框變得更加好玩。

為了讓標題和拼貼的主題更貼合，可以在文字的筆劃上做花樣。

先用手繪和拼貼的方式做邊框，注意上面的邊框不用封死。然後將紙膠帶和貼紙裝飾在邊框的空白處，最後寫字，就完成了。

再舉個例子

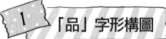

1 「品」字形構圖

將版面分割成「品」字形的三部分，頂部集中裝飾，底部佈置兩個邊框，能突出你精心製作的拼貼畫面。

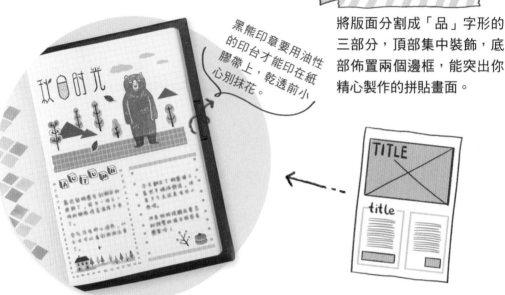

黑熊印章要用油性的印台才能印在紙膠帶上，乾透前小心別抹花。

2 大小邊框組合構圖

大小框的組合能讓畫面不那麼平均，也留出了顯眼的位置給標題。

在普通的紙膠帶上黏貼精緻的小圖案，就能得到「新」的紙膠帶。

「田」字形構圖

將版面分成「田」字形的四個區域，然後錯開安排文字和裝飾，能讓版面顯得更加豐富。

裝飾元素不需要用邊框圈起來，自由發揮就好。

手繪邊框既能讓版面井井有條，又能增加頁面的小細節，是非常好用的裝飾元素。下面為你提供一些好看的素材，快拿小本本記下來！

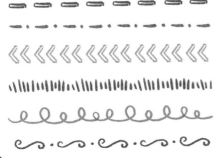

將一兩個小元素重複排列，並且間距一致，就能畫出好看的邊框。

你可以在邊框的邊線和轉角處插入小標題，能讓版面更好看。

2.1.5 讓頁面超有層次的重疊排版

壞 例 子

雖然裝飾很多，但是各自為政。顯得區域劃分過於刻意，很不自然。

 有很多邊框的素材，如何使用才能讓版面不死板？

 將大小邊框局部重疊起來吧，能讓版面更有層次感！

好例子

先將大小不一的邊框局部重疊起來，再用顯眼的人物貼紙將它們上下串聯，就可以讓所有的邊框都產生聯繫，並且加強版面的層次。

除了前面兩個素材重疊外，還可以將火漆裁剪一半，做出「三重重疊」的效果。能讓版面的層次更加豐富。

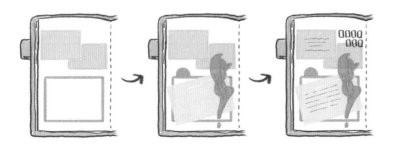

OK!

先將背景紙和邊框重疊起來，分成兩部分。再用貼紙將邊框聯繫起來，最後書寫文字，就搞定啦！

再舉個例子

1 上下重疊

用深色一點的背景紙和貼紙，連接上下兩個大面積的素材，能讓版面在穩定的基礎上增加層次感。

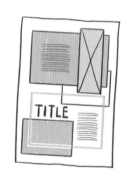

將淺色背景紙放在深色邊框的下面，能讓相框有種懸浮的幻覺。

---

2 大小框重疊

大小不同的素材重疊在一起，能讓版面有清晰的主次順序。並且用畫框和人物貼紙穿插組合，能大大增加版面的空間感。

人物後面墊一張傾斜的背景紙，能讓人物不那麼單薄。

用手將背景紙的邊緣撕得不規整，會更好看。

3　傾斜重疊

當所有的邊框都傾斜重疊時，可以在最底層放一張垂直的背景紙，讓畫面統一起來，不那麼過於放飛自我。

 Tips　你知道嗎？自己用水彩顏料或喝剩下的咖啡，也能製作復古的便利貼！而且可以自己控制紙張的大小，超方便！

先將水彩紙撕成想要的大小，然後將紙的四條邊塗上清水。

趁著紙張還濕潤的時候，用筆蘸取棕色的水彩顏料或者咖啡，從淺到深，一層一層地往上疊加，等乾透後，就完成啦！

2.1.6 用百變網格來設計版面吧

壞 例 子

素材拼貼的設計感不強，會顯得有點普通。

如何簡單地將手帳做出設計感？

採用網格分區法吧，並且配搭手繪的邊框，讓普通的拼貼更有設計感！

好例子

用手繪的邊框，將圖片和文字分成上下六等份，並且將紙膠帶和手寫字交叉放置，形成網格狀的分佈。

為了讓方框不死板，可以故意讓植物破框而出。

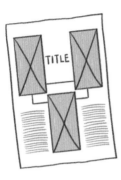

用深一點的背景紙拼貼在邊框的交界處，能讓圖片所在的三個框更醒目。

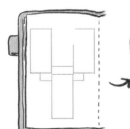 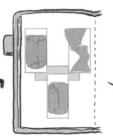 

OK!

先用尺子和中性筆劃出均等的 6 個邊框，注意右上角邊框留出一個角。然後在框內拼貼紙膠帶並書寫文字，就完成了。

再舉個例子

紙膠帶和文字也要
交錯排列

1 起伏的長條邊框

將長邊框高低起伏地排列，就
像流動的音符一樣。然後在底
部拼貼橫向的背景紙做統一，
這樣版面就會很有節奏感了。

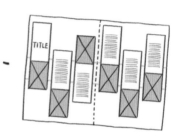

2 垂直的網格排列

雖然手繪的邊框是平均分
佈的，但是框內的文字和
裝飾是互相交錯的，這樣
統一中又富有變化。

和傾斜的菱形方框不同，端正擺放的背景紙會給版面增加穩定感。

3　菱形網格

改變方框的角度，會給我們提供一些新的想法，這樣的菱形網格，版面會像打開的盒子一樣讓人目不暇給。

Tips 網格構圖非常適合做月計劃，因為月計劃本身就是一個大網格，我們可以將裝飾物和文字交叉擺放，讓月計劃又實用又好看。

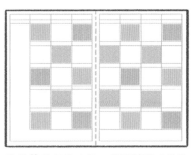

裝飾月計劃的時候，可以用兩三種純色的紙膠帶做底，然後在上面黏貼不同的貼紙。

2.2 確保版面重心穩定的排版法

2.2.1 分分鐘出效果的對角排版

壞例子

這種紙膠帶的分佈，會給人一種重心偏倒的感覺，特別是人物都在一側，會讓版面看上去不穩定。

每次拼貼素材都用力過度，但版面一點都不好看怎麼辦？

使用對角排版法就能輕鬆解決這個問題，而且相同的裝飾元素會讓拼貼變得更簡單！

好例子

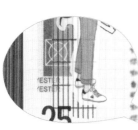

將素材佈置在左右兩個對角線上，稱為左右對角排版。這種方法能讓版面更統一，不會有視線往一邊偏的問題，是最常用的排版方法之一。

為了讓拼貼更有層次感，可以用深色紙膠帶為底，然後疊加半透明的淺色紙膠帶，這樣它們相交的地方就會有第三種顏色了。

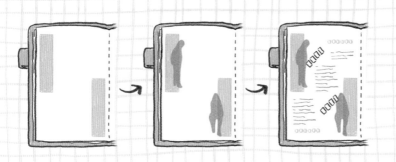

OK!

先將紙膠帶等基礎素材拼貼在頁面的兩個對角處，然後黏貼主要的人物，最後書寫文字，完成！

再舉個例子

延長的邊框最好用極細的紙膠帶，因為對角的拼貼已經很複雜了。

1 對角延伸邊框

在基礎的對角排版裏增加延長出去的邊框，增強版面的整體性。

2 傾斜對角排版

在垂直拼貼的紙膠帶之間，製作傾斜的邊框，能打破版面的呆板。

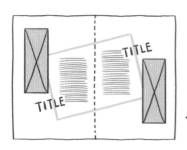

文字的顏色最好和裝飾的配色一致

3　大對角排版

將裝飾元素都集中在一個角落，然後在空白處集中書寫文字，這樣文字和裝飾就互為對稱了。

Tips 像素化的裝飾可以用方格紙膠帶或者手繪來製作！

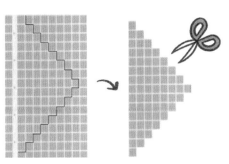

先用鉛筆在細方格紙膠帶上描出要剪的範圍，然後沿輔助線裁剪就可以。

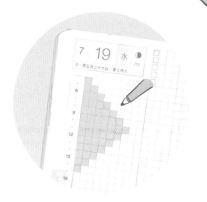

如果用的是方格內頁的手帳本，可以直接用彩筆塗方格來裝飾。

壞 例 子

大圖已經把文字擠到極限啦！而且分散的文字
也很影響閱讀！

 Q: 很大的素材如何安排
進手帳頁面？

 A: 很大的素材都不能居中放，一定要靠邊
來安排，不然會讓版面很散。文字也可
以稍微多一點，這樣才會大小平均。

好例子

我們可以將大圖作為裝飾的重點，讓它佔據四分之三的頁面，並在圖中做精緻的裝飾。然後將文字集中起來，放在剩下四分之一的位置，這樣版面就會很平衡了。

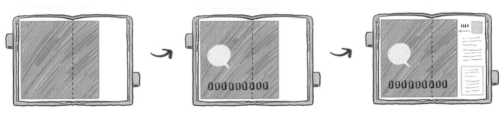

OK!　先在左側及跨頁的位置黏貼大圖，然後裝飾大圖，最後在右側集中書寫文字，完成！

再舉個例子

跨頁的地方可以用箭咀來指引閱讀順序

1 上圖下字

這樣的排版能讓圖片有更多的細節可以留存，而且對視覺的衝擊力更強！

---

2 單頁大圖佈局

單頁的佈局會更加緊湊，而且彩色的圖和單色的文字做配搭，版面也不會顯得很混亂。

文字沿著圖片的邊緣書寫，可以讓版面沒有一個死角。

3　**傾斜佈置大圖**

將圖片傾斜佈置，能讓版面更活潑！而且還可以在圖片上重疊黏貼多種素材，給版面增加一份層次感。

Tips 當你拿到的圖片超過手帳本的大小時，可以考慮只保留最主要的圖像，有捨有得才能做出好看的版面！

在大圖中確定主要的形象，然後沿著邊裁剪下來。

將它黏挂在本子上後，在空白處書寫大段的文字。注意文字可以沿著圖片的外輪廓書寫，這樣圖文的結合度會更高。

2.3 打破固定思維的靈活排版

2.3.1 掙脫束縛的無框排版

 壞例子

方框過於死板，畫面缺少精彩度。

 怎樣在不使用邊框的情況下讓版面有條理？

 遵循文字的閱讀順序，並用裝飾元素來分割畫面。

好 例 子

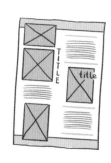

在不使用邊框做分隔線時，可以用裝飾元素來分隔版面。本案例就是用組合圖案來將版面分成了三個空白區域，都可以書寫文字！

將深色的背景紙剪成三角形黏貼在左上角，然後沿著背景紙的邊緣手繪折紙圖案，就能製作出折頁的效果啦。

為了讓頁面的配色更統一，可以用同一款紙膠帶為每個圖案做點綴。

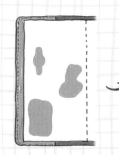 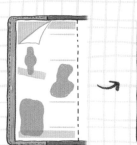 

 OK!

先將圖案交叉畫在版面上，注意留出空白區域。然後裝飾紙膠帶等元素，最後在空白處寫文字，完成！

再舉個例子

為了讓文字的閱讀順序更明顯，可以在每個段落前裝飾字母或數字的貼紙。

1 圖案集中構圖

集中的圖案能讓版面更緊湊，不容易分散視線。而且能將第二、三段的文字分開，視覺上不擁擠。

2 純圖文構圖

這個例子是連分割線都去掉，純粹用交錯的圖案來劃分區域。比起其他的版面，這種形式會更清爽簡潔。

讓其中一排圖文順序交換，可以讓版面不那麼呆板。

 3　左右分佈構圖

我們可以將圖文分成明顯的左右兩個區域，這樣的版面會更簡潔易讀。

Tips　給普通的簡筆劃增添底色能讓畫面更有氛圍！而且我們還可以用大面積的背景色，讓整個頁面的配色統一起來！

用木顏色沿著物體的邊線畫一圈短直線，注意線條和物體要保持均等的間距。

然後沿著輔助線向外細密地排線，注意要由淺到深。如果你覺得最外圍過渡得不夠自然，還可以用橡皮輕輕地擦淡色調。

2.3.2 圖文結合超緊密的錯落排版

壞例子

裝飾元素和文字結合得不好，彼此聯繫不大，更不方便閱讀。

 當圖多文字多的時候，怎樣安排版面會比較好看？

 我們可以將文字和圖案緊密地結合在一起，將版面分成一個又一個的小塊面，這樣就能輕鬆地閱讀了。

好例子

除了用醒目的照片作為版面的第一視覺點外，我們還可以給每個小圖案都配一小段文字，這樣圖案既起到了分段文字的作用，也能讓版面變得更生動。

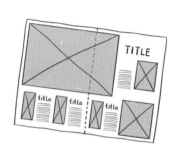

可以將紙膠帶剪成三角形，做成相片角貼。

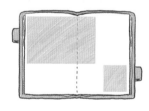

先在左右對角黏貼照片，然後在空白處畫出小圖案，注意保持一定的距離，最後書寫文字就完成啦！

再舉個例子

我們可以給文字加一個底色，起到突出重點的作用。

1 **圖文上下交錯**

從上往下符合我們一貫的閱讀順序，能讓人流暢地閱讀。

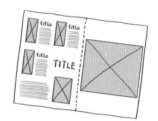

---

2 **圖文左右交錯**

當內容集中在一起時，可以將圖片和文字交叉擺放，這樣能讓圖案的分佈更均勻一些。

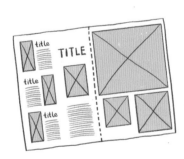

手繪的貼紙局部重疊在照片上，可以增加畫面的層次感。

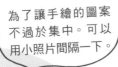

為了讓手繪的圖案
不過於集中。可以
用小照片間隔一下。

3　圖文對角交錯

如果是跨頁的構圖，可以在對角的位置安排圖文，這樣能起到互相呼應的作用。

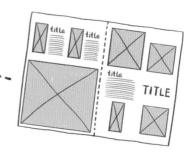

Tips　給文字做底色能讓文字內容更突出，適合標註重點，或者區分版面。下面分享三種非常適合寫文字的背景色。

睡着的八月
有種神奇的
平衡能力可
以頂好多橘
子不掉下來！

睡着的八月
有種神奇的
平衡能力可
以頂好多橘
子不掉下來！

睡着的八月
有種神奇的
平衡能力可
以頂好多橘
子不掉下來！

用淺色的水彩筆，保持間距的排線，能畫出清爽透氣的背景色。

想快速地畫出大面積的背景色，用水彩就能輕鬆做到。

如果不想動手畫，那麼選擇一張好看的背景紙，也可以起到相同的作用。

壞例子

雖然旅行拍到的好看照片都貼在本子上了，但因為分佈得七零八落，所以照片之間的聯繫感不強。

 怎樣讓旅行照片和旅行的回憶結合得更緊密？

 可以採用軸線排版，讓有順序的照片幫助你憶起旅行路上的種種。

好例子

我們可以用紙膠帶做成前行的軸線，然後按照時間順序，將照片分佈在軸線的周圍。再用指引線連接，這樣旅行的路線和時間，就能記得很清楚了！

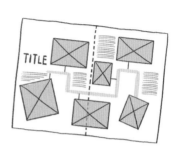

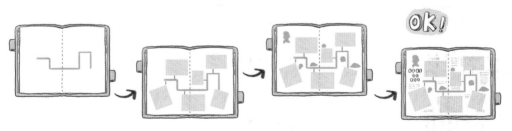

先將細條紙膠帶拼成曲折軸線，然後裝飾照片和貼紙，最後在空白處記錄文字，完成！

再舉個例子

我們可以用一款紙膠帶作為橫向的軸線，用另一款紙膠帶作為分隔照片的「岔路」。

1 横向軸線

横向的軸線更加簡單利落地貫穿跨頁，給人一往直前的衝勁！

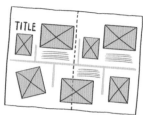

---

2 曲折軸線

如果想表現旅途的豐富性，可以採用曲折的軸線，能給人你走了很多地方的感覺，而且版面看起來更靈活。

可以先確定照片的擺放位置，再安排軸線在哪轉折，這樣不容易出錯。

橫向和縱向的照片
分開黏貼能讓版面
更簡潔

3　縱向軸線

縱向軸線一般用在短途
旅行上，或是想集中展
現照片時比較適合 。這
種排版將圖文分開了，
能讓人更直觀地看到旅
行的過程。

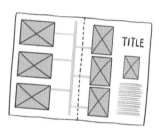

Tips　除了基礎紙膠帶外，還可以利用足跡、箭咀等圖案的紙膠帶做軸
線，能讓頁面更加有趣。

腳掌適合可愛的頁面

箭咀適合方向明確的頁面

虛線適合做分支路線

藤蔓適合親近自然的頁面

黑白膠帶可以模仿高速公路

2.3.4 多利用幾何圖形來增加設計感

壞 例 子

單調的紙膠帶拼貼，缺乏設計感，是很乏味的一頁。

Q: 怎樣讓純拼貼的頁面更好看？

A: 可以在頁面中多加入幾何圖形元素，要知道幾何形是很有設計感的！

好例子

利用便利貼和花邊，讓版面呈現清晰的菱形和圓形。既能讓拼貼更集中，也能單獨分隔出文字的區域，讓版面井井有條，設計感也更上一個台階。

這裏的圓形是用 MT 的金色波點紙膠帶製作的，稍顯複雜，也可以直接用金屬的筆塗畫。

先用紙膠帶和背景紙拼出主體的幾何形，然後裝飾人物形象，最後書寫文字，完成！

再舉個例子

將華麗的裝飾放在底部，能讓版式變得穩定。

給單一的幾何圖形妝點上豐富的花邊和角貼，能讓版面變得更華麗，而且也重點突出了文字區域。

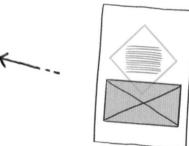

不同的幾何圖形還可以重疊組合，變成更複雜的圖形。這裏就用深色的長方形，讓文字的區域變得更醒目了。

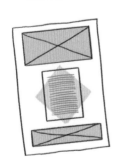

3 創意三角形

可以增加單一幾何形的個數，將它們拼成有趣的造型。比如三角形，就可以做成沙漏或者蝴蝶。

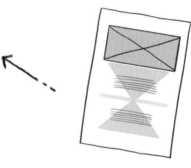

文字突破便利貼的範圍，能讓版面更靈活。

Tips 幾何形還有更多的妙用，可以充分發揮我們的想像，下面為你提供一些有趣的參考！

妙用一：用線條將幾何破形，再用貼紙裝飾，能給人留白的想像空間。

妙用三：將幾何圖形排列起來，並局部重疊，能給人連貫的視覺感受。

妙用二：純線條的大幾何和實心的小幾何組合在一起，能讓畫面更有設計感。

 壞 例 子

想寫的內容非常多，但是拼貼的素材也同樣多，兩個都不想放棄，所以版面顯得特別擁擠。

 手帳頁面要是不夠寫怎麼辦？

 額外增加一頁吧，就像寫作文會加紙一樣！

好 例 子

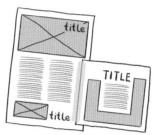

當頁面不夠時，我們可以選擇一張喜歡的背景紙，然後用紙膠帶將它銜接在頁面的邊緣處。注意紙張的大小，不要超過本子的大小，這樣才能順利地開合本子。

用手繪的虛線代表河流，讓畫面更豐富。

將背景紙用紙膠帶黏連在本子的外側，要保證夠能夠順暢地翻開，然後裝飾手帳頁面和書寫文字就行啦！

再舉個例子

1 **頂部加頁**

除了本子的側面,還可以在頂部或底部加頁,只要不超過本子的長度就行。

2 **中縫加頁**

如果你不喜歡內容延伸到本子外,那麼可以在中縫的位置加頁,同樣是用紙膠帶連接。

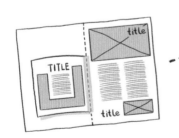

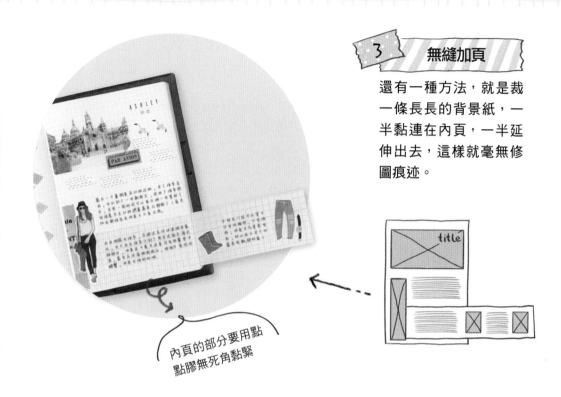

3　無縫加頁

還有一種方法，就是裁一條長長的背景紙，一半黏連在內頁，一半延伸出去，這樣就毫無修圖痕迹。

內頁的部分要用點點膠無死角黏緊

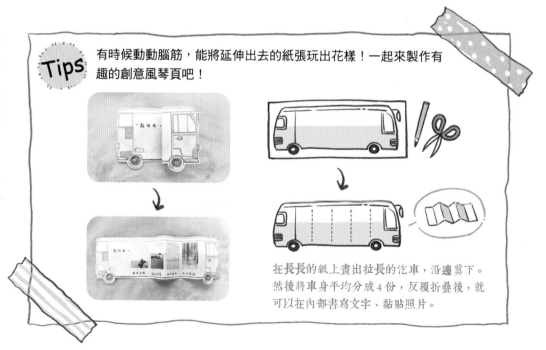

Tips 有時候動動腦筋，能將延伸出去的紙張玩出花樣！一起來製作有趣的創意風琴頁吧！

在長長的紙上畫出拉長的汽車，沿邊剪下。然後將車身平均分成 4 份，反覆折疊後，就可以在內部書寫文字、黏貼照片。

2.4 輕鬆做出具有個人風格的排版

2.4.1 大膽使用留白的極簡排版

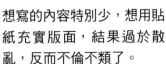 壞 例 子

想寫的內容特別少，想用貼紙充實版面，結果過於散亂，反而不倫不類了。

 只有幾句話的手帳怎樣排版更好看？

 大膽使用極簡排版吧！大面積的留白反而給人更多遐想空間呢！

好例子

頁面大部分留白，再把散亂的裝飾元素集中在一起。因為文字很簡短，所以就集中安排在底部，這樣版面會非常透氣，而且文藝味十足。

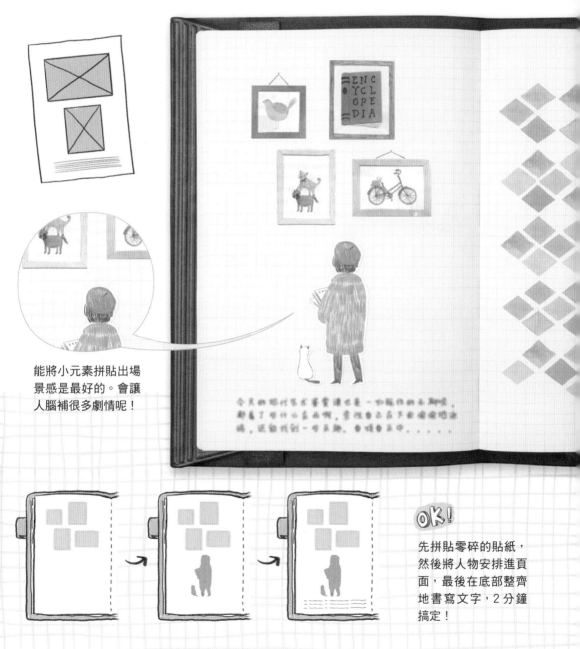

能將小元素拼貼出場景感是最好的。會讓人腦補很多劇情呢！

OK!

先拼貼零碎的貼紙，然後將人物安排進頁面，最後在底部整齊地書寫文字，2分鐘搞定！

再舉個例子

 1 **L形留白**

用裝飾元素組成一個L形，這樣能將文字包圍起來，顯得頁面更豐富，留白也相對較少。

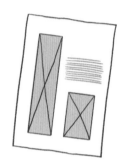

 2 **上字下圖留白**

如果想先看到文字，那麼可以把裝飾元素往下放，效果是一樣的。

如果覺得過於空白，可以選一張
淺色的彩紙，剪成長條貼在本子
的一側，讓版面有個醒目的色調。

3 極致留白

還有一種極致留白，非常適
合沒時間做手帳的人，只需
要在角落的地方簡單地裝飾
兩三個圖案，然後在頁面正
中寫一兩句話就可以了。

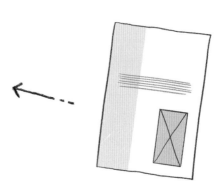

Tips 當我們沒有現成的畫框貼紙時，可以自己動手畫，然後將紙膠帶
貼在畫框內，而且你還能自己控制畫框的大小和樣式呢！

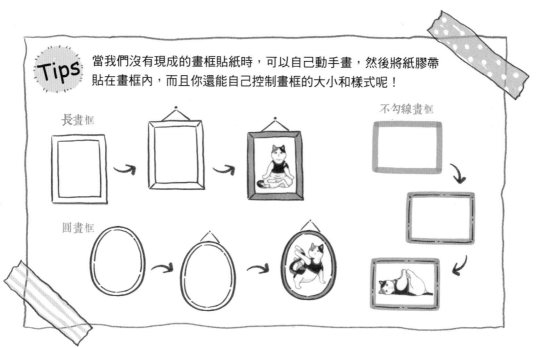

長畫框

圓畫框

不勾線畫框

壞例子

素材很豐富，但是版面很雜亂。拼貼沒有章法，
而且素材之間的聯繫都不大。

 想做出豐富的頁面，但是拼貼很雜亂怎麼辦？

 內容豐富的手帳就像嘉年華一樣，但是一定要讓素材有層次，而且文字不能太過零散。

好 例 子

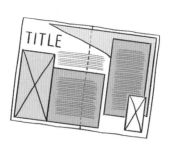

將素材集中拼貼在本子的左下角和右上角。先用基礎款的紙膠帶做底，然後用便籤做第二層，最後將醒目的人物和花卉放在最上面，這樣拼貼就會有三個層次了。注意頁面中間的地方需要充足的留白，文字才不會過於擁擠。

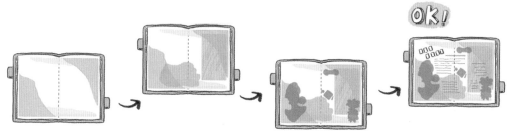

先在兩個對角拼貼基礎的紙膠帶，然後一層一層地佈置裝飾元素，最後用文字將版面補充完整，完成！

再舉個例子

為了讓兩頁的聯繫更強，可以將便利貼貼在本子中間。

將素材集中裝飾在本子的一側，另一側只少量做點呼應，這樣能給文字留下充足的空間，而且也會疏密有度。

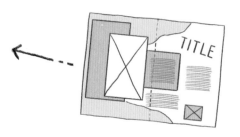

2 包圍式排版

裝飾物沿著本子的四周分佈，將中間的位置留給文字。

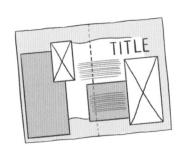

左右都選用一樣的
紙膠帶做底，加強
對稱感。

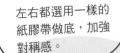

3　左右對稱排版

將裝飾分別集中在頁面
的兩側，形成左右對稱，
能有效防止素材貼得過
於散亂。

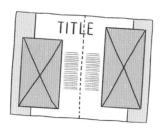

Tips　淺色背景和深色背景都能凸出上方的裝飾元素，但它們所營造的
氛圍是不一樣的。

製作背景的時候，可
以用多個淺色的素材
拼貼在一起。

淺色背景要映襯深色的素材，
能給人文藝清新的感覺。

背景也可以選一整張
深色的背景紙，將它
撕成幾大塊拼貼。

深色背景要映襯淺色的素材，才能在沉穩
的版面中找到閃光點。

2.4.3 閱讀超順暢的漫畫分鏡排版

壞例子

普通的手賬版面欠缺一些創新，而且文字和素材的結合並不太巧妙。

Q. 怎樣在版面分區之後讓閱讀更順暢？

A. 可以學習簡單的漫畫分鏡，用一個個的邊框組合，讓頁面充滿故事感。

好 例 子

用手繪的細邊框將頁面分成四等份，中間用圓形來打破呆板。然後將素材和文字裝飾在方框內部，就像漫畫的頁面一樣，吸引人一格一格地去閱讀。

可以用點陣的紙膠帶
模仿漫畫的網點效果

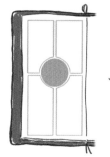  

OK!

先畫出四等份的邊框並
貼上中間的圓標，然後
在邊框內裝飾素材。最
後書寫文字，完成！

再舉個例子

方形中裝飾圓形，能帶給版面更多的變化。

1 斜線劃分版面

傾斜的分鏡能給人不穩定感，但如果在其中添加一個端正的方形，就能緩和這種感覺，從而讓版面變得動感十足。

2 不均等的劃分區域

用線條將版面分成三大份，但不需要完全均等，三個區域有大有小會讓版面更靈活。

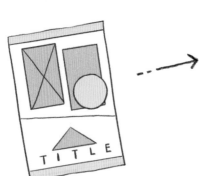

3 左右對稱排版

將文字、標題、裝飾元素對稱地佈置在版面內，再用深色的紙膠帶來劃分區域，能讓版面既豐富又不散亂。

邊框交界的地方如果很生硬，可以用圓潤的圖形做遮擋。

 **4** 多重邊框的組合

將大小不同的邊框互相重疊交叉，能讓版面的層次感更豐富。

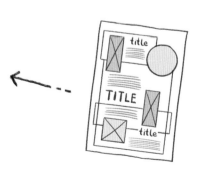

網點效果既能用紙膠帶製作，又能手繪。用它來做背景，會比整塊的素材更透氣，一起來看看網點效果是怎樣做出來的吧！

這個紙膠帶是 MT 的 slim set 系列，其中黑色網點的這款就很好用。

離型紙

我們可以將網點紙膠帶貼在離型紙上，裁剪成你想要的任何形狀，然後揭下來用就可以了。

如果想在網點中摳洞，可以用圓形的物體做模子，比如大點的瓶蓋。

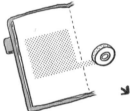  

然後用筆刀沿著物體的邊緣，小心地切割就可以了。

只要控制好力度，本子就不會劃壞。

純手繪也可以畫出網點效果，讓一二排的點點互相錯位，並依次延伸，重複畫出一定的面積就是點陣了。注意粗筆和細筆劃出來的網點效果是不一樣的。

Part 3

文字編排在手帳中起到的作用

3.1 標題的學問

3.1.1 讓標題成為頁面的主角

好例子

把標題寫大一些，並放在頁面正中間，能讓人一眼就鎖定頁面的主題。

第一步時膠帶不要黏死，等寫好文字後把有文字的部分修剪掉，形成層次。

 標題的大小對手帳版面有甚麼影響？

 標題除了起到提綱挈領的作用，還能成為一個很好的裝飾元素。大的標題能讓你的手帳有個醒目的視覺重點，所以盡情地玩轉標題吧！

在頁面中間貼上主要圖片和紙膠帶，然後用軟筆寫出主標題，再寫出小標題、內文。最後用小圖案和分割線對頁面進行最後的點綴，完成！

再舉個例子

1　正常大小的標題

適合日常一日一頁記錄使用。正常大小的標題為內文和裝飾留出了夠足夠的空間，可以安排更多內容。

2　超大標題

超大的標題適合沒有準備太多內容和裝飾素材的時候，直接把標題作為重頭戲來撐版面。

把裝飾元素疊在標題上能增加變化

3.1.2 靈活擺放標題的位置

好例子

把頁面三等份，標題、正文、裝飾各佔三分之一，是一種很均衡的排版。

使用裝飾背景紙作為底色，能為常見的白色背景帶來變化，還能統一頁面色彩基調。

標題不是只要放在最上方就好嗎？

不必給標題的位置設限。除了上方，標題還能放在頁面中間、下邊，甚至拆開穿插在內文中間。這份自由感正是玩手帳的樂趣之一呢！

先預估好文字量的多少，在本子上貼上鏤空的花紋背景紙。然後寫出標題，貼上人物紙膠帶裝飾，最後在鏤空的地方書寫文字和補充雨滴等細節，完成！

再舉個例子

 標題排在底部

改變通常上面是標題然後緊跟著文字的排版格式，把標題安排在底部，和右邊的裝飾銜接得更緊密了，讓標題更像裝飾的一部分。

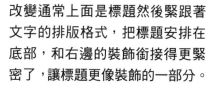

2　標題放在中間

標題放在正中間，又有了一種功能，巧妙地分割了上下兩段文字，使頁面成為三個板塊。

標題傾斜著寫，打破頁面四四方方的結構。

3.1.3 讓標題起到分隔作用

好例子

把標題和裝飾集中在頁面的中間，內文被分割成上下兩部分，頁面顯得飽滿且均衡。

標題如果字數比較多，
不必一整段寫完，可
以分割成兩段來寫。

 用分割線分割頁面
不就行了嗎？

 如果頁面只用分割線來分割，方式難
免會刻板單一，用標題作為分割頁面
的元素會顯得更精心而自然。

先確定人物和標題的位置，然後將人物揭起來，貼好下面的文字紙膠帶。最後寫出內文，再在空隙補充分割線和點綴。

再舉個例子

標題不夠長時可以和裝飾物結合起來劃分版面

1　用標題分割左右

把標題居中，頁面被自然地分割成左右兩塊。如果文字量不多，剩餘的部分可以用分割線和小裝飾點綴。

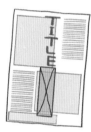

2　更靈活地分割

和裝飾結合，把頁面更靈活地分割成了幾個版塊。但這個方式內文一定要寫得齊整，避免頁面零亂不統一。

3.1.4 用好看的標題衝擊視覺

好例子

把漸變色的標題居中擺放，並用帶有很強烈指向性的三角形引導視覺，使標題更加顯眼。

把標題和紙膠帶圖案結合起來，讓標題更加突出。

拼貼出上方的三角形狀
並寫出標題，避開標題
拉出邊框。寫好內文後
進一步用小圖案點綴一
下頁面就完成了。

再舉個例子

1　從顏色上凸顯標題

大部分裝飾物顏色較淺，而顏色
較深的裝飾比如花盆和深色紙膠
帶等，基本和標題處在一條傾斜
的動態直線上，引導了視覺動向。

2　多種組合拳出招

佔據頁面三分之一版面
的標題毫無疑問十分顯
眼，同時紅棕色的標題
和綠色的裝飾形成了強
烈又不會突兀的反差。
下方的裝飾形成三角形
指向頁面上方，凸顯了
標題。

裝飾物裏可以有少量
和標題呼應的顏色

好例子

選擇和頁面主色相反的色調做標題，用撞色對比效果來營造一種強烈的跳躍感，給頁面帶來活力。

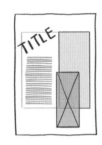

為了避免單純的反色使標題太跳脫孤立，裝飾物裏最好稍微點綴一些和標題呼應的顏色。

要如何確定標題的顏色？

先確定一個顏色作為標題，再根據標題來選擇同色系的裝飾物是最容易的。此外根據裝飾選擇對比色或者用百搭的黑色白色做標題也是不錯的方法。

畫出邊框並拼貼好打底的裝飾，裝飾和內文各佔方框的一半。然後貼上人物紙膠帶，寫出標題。最後寫出內文就完成啦。

再舉個例子

黑色能使顏色顯得更鮮艷

1 標題選用黑色

黑色是最重的顏色，不管頁面的顏色多麼鮮艷跳脫，用黑色都能 hold 住並不破壞圖片氛圍。但黑色也容易給人普通常見的平凡印象。

2 選用色調一致的顏色

根據裝飾的顏色來選擇標題的顏色時要儘量挑選較深的顏色，才能壓得住頁面，並和裝飾產生統一感。

3.1.6 如何同時強調標題和裝飾

 好例子

使用和照片顏色呼應的色塊來強調標題，能夠增強標題的存在感，並提高標題的可讀性。

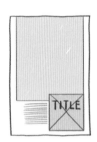

把標題寫在牛皮紙上再剪下來貼在本子上，通過不同材質的疊加來增加頁面的豐富性。

：
頁面有大圖時要怎麼突出標題？

：
不必將標題生硬地寫大來和大圖抗衡，使用和圖片相反的顏色或者強化標題色塊等方法能更巧妙地凸顯標題。

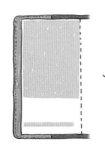 →  →

貼好需要使用的照片，貼上圓形牛皮紙和夾子，最後寫出標題和內文。整個頁面都使用相近的配色。

再舉個例子

1　將標題和裝飾並列

將標題和圖片放在並列的位置上，使標題和圖片形成一個裝飾整體，強化標題的存在感。

2　將標題置於裝飾上

把標題放在裝飾上，一眼就能同時看到裝飾和標題，豐富層次的同時還能打造出雜誌感。

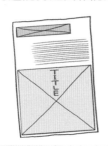

可以用不同顏色的紙張疊加在照片上

3.2 提升內文的可讀性

3.2.1 內文的大小和間距有講究

好 例 子

相對來說文字大小、字距、行距適中的頁面閱讀起來會更舒服，也更符合大多數人的書寫習慣。書寫的時候不要被頁面的格子框住手腳，用自然的方式去寫就好。

文字的疏密都很平均，讀起來省力且流暢。間距和行距過疏或者過密都會降低易讀性。

 文字寫開一些不就容易讀了嗎？

 文字間距過密讀起來吃力，但太開也一樣影響閱讀，會顯得文字區塊鬆散而零碎。但如果版面裝飾不多顯得空，不妨將單個文字稍微放大一些來寫。

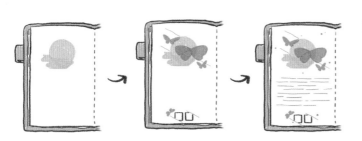

蓋好印章並貼上圓形的打底紙膠帶，再畫出斜線。在頁面下方寫出標題，貼好蝴蝶圖案。寫完內文後畫一些小圓點點綴一下頁面。

1　較小的文字

較小且密集的文字頁面留下的空隙會偏多，裝飾佔到的面積會較大。可以把文字拆分成幾個段落，當成幾個版塊來設計安排。

2　較大的文字

較大的文字很快就能把頁面寫得滿滿當當，但同樣的內容下裝飾就要相應減少了。不同大小的文字間距要相應做出調整。

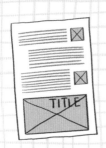

較大的文字會給人一種爽朗的感覺

3.2.2 文字在版面中的位置

好例子

標題放在上面，文字緊接標題安排在頁面中間是最常見的版式，文字量較多的時候這樣安排穩妥不容易出錯。

把文字分成兩列書寫，顯得更加整齊有序，打造出充滿雜誌感的排版。

 文字放在中間看久了有點單調……

 除了頁面中間，其實還可以試試把文字放在頁面上方，或者左右兩邊等方式，甚至可以拆開和裝飾交替混排，大膽地嘗試吧！

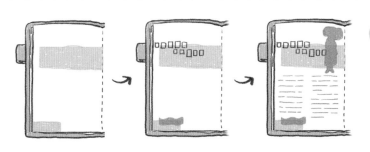

先貼上打底貼紙和膠帶，用印章作為點綴。然後在人物紙膠帶背後找準位置蓋上樹枝印章，再貼上人物紙膠帶。最後寫上文字，完成！

再舉個例子

1　上下分開排列文字

把文字上下排列，中間插入其他裝飾，就像文字中間有個休息站。和其他排版相比，同樣的文字量，這樣閱讀會更輕鬆。

2　文字居右排列

文字集中寫在右邊，上下和左邊都被裝飾圖案包圍。這樣從視覺上看起來裝飾區域變大，同樣的文字量看起來像減少了。

3.2.3 文字對齊與不對齊之美

好例子

在逗號或句號處斷行，在末尾形成長長短短的不規則形狀。這種設計就像詩文集一樣顯得從容優雅，充滿高級感。

為了避免句子結尾太過於長長短短的零散，段落起頭部分可以根據字數多少調整前後位置。

文字不對齊不是會顯得凌亂嗎？

傳統的排版是將文字作為一個方塊來處理，但如果將文字本身當作一個裝飾元素精心設計，不對齊的文字更能增添一種韻律感。

打好草稿，找准位置後貼上圓形的貼紙，再進一步增添小裝飾。在頁面左邊豎著寫出標題，最後把句子按逗號和句號自然斷句分行，注意每一組只寫四五行文字。

 再舉個例子

1　不對齊書寫文字

把文字集中在一起豎排書寫，強化了句子長長短短的形狀，就像垂簾一般透著優雅的感覺。適合較為復古的設計。

2　對齊書寫文字

把文字刻意寫整齊，變成一個個的小方塊，當作裝飾的一部分來排版。再配合靈活擺放的裝飾來打破方塊呆板的感覺。

好 例 子

利用整段文字是由單個小字符組成的特點，斟酌安排字符的位置，把整段文字輪廓設計成特別的形狀，給人一種很用心的感覺。

沿著文字邊緣排列的花瓣強化了文字的輪廓，還使文字和裝飾自然地融合在一起，增強頁面整體性。

 Q: 把文字寫成豆腐塊看著很單調怎麼辦？

A: 可以試試在文字的輪廓形狀下心思。把文字排列成菱形、圓形、心形等特別的形狀，是一種很有趣的文字遊戲。但需要有一定的文字量才能進行特別的排列。

打草稿確定文字如何安放後寫出內文，再完成頁面下方的人物和標題。人物的貼紙不要貼死，在人物底下沿著文字輪廓貼出花朵，完成後再把貼紙壓平就完成了。

再舉個例子

頁面下方稍留空隙，不然會顯得太擠。

1　裝飾圍繞文字

先貼裝飾，然後沿著輪廓寫文字。文字和裝飾總輪廓形成一個方形，有飽滿的整體感。

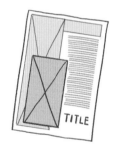

2　文字環繞裝飾

用文字環繞著裝飾，把邊緣不規整的圖片和文字結合起來變成了一個規整的方塊，但容易給人密不透風的感覺，要注意頁面留白。

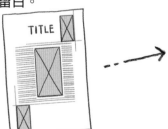

好例子

用大小不等的文字強調重點，即使最上方有文字，第一眼關注到的仍然是「我」、「開心」等關鍵字眼。跳躍的編排凸顯了喜悅的心情。

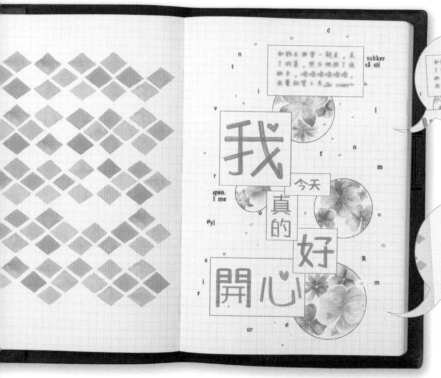

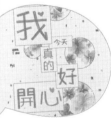

即使正文在頁面最上方，視線也還是先被下方的標題吸引了。

用小方框把大小不等的文字框起來，形成前後交疊的層次感。

 字的大小對閱讀順序有甚麼影響？

 一般人的閱讀順序是從左上到右下，但最突出的字眼能夠能夠第一時間吸引目光。巧妙地利用這個原理來引導視線關注重點吧！

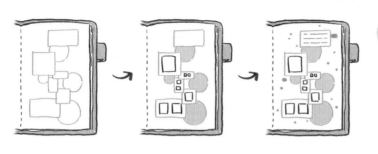

畫出大小不等的方框和圓框，注意前後交疊的層次。寫出標題，並在圓框裏貼上紙膠帶。最後寫出內文，再用碎紙膠帶點綴頁面。

再舉個例子

1 從大到小排列文字

把文字從大到小排列在一條線上，視線就會自然地沿著文字讀下去了。標題斜斜地切割了版面，有一種酣暢淋漓的大喊的感覺。

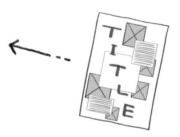

Tips 把形狀各異的紙膠帶修剪下來再拼貼成圓形或者其他形狀，是一種有趣的拼貼法，來看看是怎麼做出來的吧！

將紙膠帶上的圖案沿形狀修剪下來

用剪刀剪出一個圓形或者想要的形狀

在離型紙上把紙膠帶拼貼好

小心地從離型紙上揭下來再貼到本子上就完成了

3.3 小標題的使用

3.3.1 小標題能讓文字更易閱讀

好 例 子

把大標題置於頁面底部和裝飾融為一體，小標題則放在頁面上方和段落同寬，強化了每段文字的內容和區塊分割，看起來既清爽又易讀。

把完整的圖案分成兩部分貼，中間插入小標題。

內容很多的時候要怎麼避免擁擠？

和分區排版結合起來，用小標題統領小區塊，就能看起來明確又清爽！

先在頁面下方用格子貼紙打底，貼上人物和標題紙膠帶，再把完整的圖案貼紙一分為二並加上分割線，寫出小標題。最後寫上內文就完成了。

再舉個例子

1　交替排列小標題

把小標題和文字並列，再用顯眼的顏色標記出小標題。每個段落間要留出夠足夠的空隙。

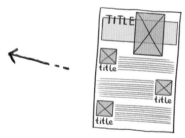

2　成為裝飾的一部分

把小標題和對話框結合起來，增加趣味性的同時又吸引人關注接下來的詳細內容。

用深淺不一的便利貼做出清爽的分區

3.3.2 用小標題作為段落的開始

好例子

把小標題放在段落的前方
使人一眼就看到主題。但不
對齊放標題，並用長短不一
的分割線和頁面邊緣連接，
能帶來視覺上的變化。

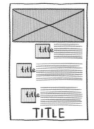

小標題和紙膠帶裝飾結
合起來，強化小標題的
存在感又不會太生硬。

 文字部分沒有裝
飾，看上去太平
淡了怎麼辦？

 可以把小標題和裝飾物結合起來，穿插
在段落文字間既形成視覺重點，也能增
添頁面的美觀度。

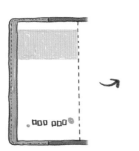 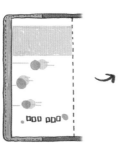 

貼好頁面上方的裝飾照片，寫出頁面下方的標題，再根據文字量安排小標題的位置，增添裝飾。最後寫上內文，完成。

再舉個例子

1　自然分割段落

不需要分割線，利用橫豎錯落的小標題就能自然地分割段落，把原本密密麻麻的文字區分開來。

2　放大段落首字

沒有設置小標題的時候也可以放大段落首字來統領段落，強化了段落之間的區分，也讓文字本身形成了視覺重點。

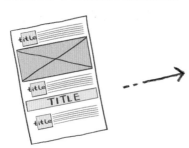

3.3.3 安排有趣的補充説明

好例子

利用對話框為照片裏的單個事物做編號,使其夠能夠和頁面下方的補充說明一一對應。這樣不但減少了文字,還能讓說明更加清晰。

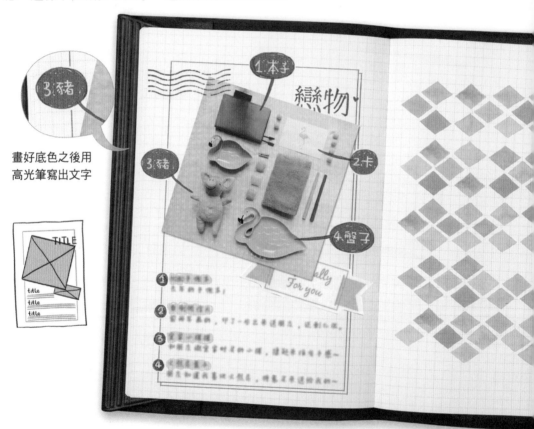

畫好底色之後用高光筆寫出文字

 怎樣讓照片說明變得更輕鬆呢?

 利用對話框或者引導線來對照片的內容進行補充說明,能把繁瑣的文字說明大幅度簡化,並為頁面增添一種親切感。

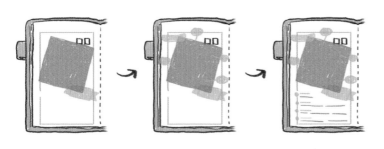

畫出邊框後寫好標題，再歪斜著放上照片。用筆從照片上拉出對話框，最後寫出頁面下方的注解說明就完成了。

再舉個例子

1　用引導線連接說明

照片修剪出來後隨意地擺放在頁面中間，再用明確的引導線來連接標註說明，讓圖片雖然散但有條理。

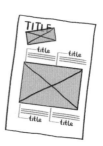

2　螢光筆勾勒重點

用螢光筆劃出關鍵字並把它和下方的實物連接對應起來，能讓人輕鬆地掌握重點。但線條不要交叉，避免混亂。

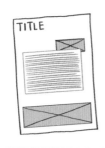

3.3.4 用小標題打破呆板的文字構造

好 例 子

利用顏色不同、字體不同、甚至橫豎編排也不同
的小標題,打破通篇用一種文字書寫的局限性。

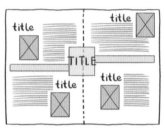

描摹書名作為小標題
來為頁面增添設計感

文字較多時如何避
免顯得單調?

把小標題作為設計的亮點和裝飾物結
合,或者直接就用不同的字體設計為
大段文字增添看點。

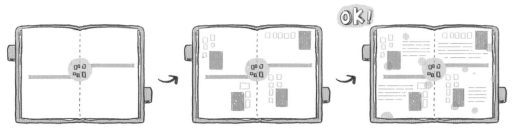

先在中間貼上紙膠帶作為分割線，貼上主標題。這裏主標題不作為設計的重點，所以不必突出強調。再貼上打印的書的封面和描摹的書名，寫上內文。最後在頁面空白的地方補上點綴就完成了。

分割線採用和小標題一致的顏色

1　和分割線結合

把小標題和分割線結合，將頁面分割成四個板塊，這樣即使文字較多但內容仍然清晰易讀。

2　作為設計主角

簡化文字內容，把橫豎不同的小標題編排到一起成為頁面設計的主角，強化了文字本身的個性。

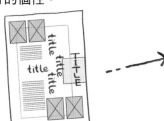

和背景結合

用打印或者用白色顏料處理小標題,將弱化的小標題和彩色背景結合,打破純色塊背景和大段文字的單調感。

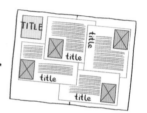

 Tips 書籍的書名文字都是經過精心設計的,我們可以把它描摹下來用在讀書筆記裏,為手帳頁面增添亮點。

用半透明的硫酸紙覆蓋書籍封面,用木顏色或者水彩筆把書名描摹下來。

用剪刀把多餘的部分修剪掉

用透明的點點膠把字黏貼到手帳頁面就完成了

Part 4

巧妙的裝飾讓
手帳更精美

4.1 抓住視覺重心

4.1.1 學會把握大小圖的視覺比重

好例子

大圖居中，兩個小圖在正下方並列。這樣形成的穩定的三角形構圖，能讓人的視線集中在大圖上。

並列的小照片
下方墊上底紙，
能平衡頁面的
重心和色彩。

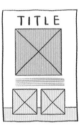

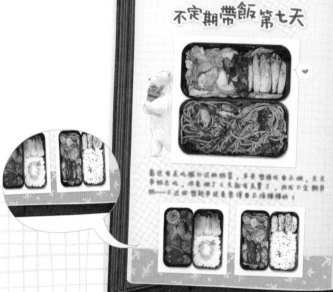

 圖片大小不一時怎麼排列比較好？

 不容易出錯的方法是盡可能均衡地安排圖片，把大圖和小圖分為兩個板塊來安排，小圖集中起來擺放，形成能和大圖抗衡的視覺重點。

OK!

確定好三張照片的位置後先不要貼死，在照片下方增加底紙和紙膠帶之後再壓平，最後寫出標題和內文。

再舉個例子

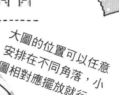

1　傾斜擺放圖片

把圖片的背景部分修剪掉，再傾斜排列圖片，是一種自由度極高的擺放方式，能夠更強烈地凸顯圖片本身的內容。

大圖的位置可以任意安排在不同角落，小圖相對應擺放就行。

2　從大到小排列

大小不同的圖片數量較多時，把圖片按不同角度從小到大安排，能形成錯落有致的平衡感。如果整整齊齊地從小排到大會顯得呆板。

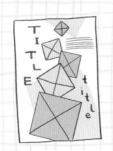

標題拆開來寫，能填補圖片間的空隙。

好例子

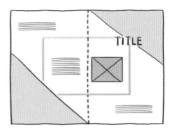

左右角落安排了手撕的黑色背景紙，醒目的黑色打破了白色頁面帶來的單調感，並更加凸顯了白色部分的內容。

小花和黑色的紙形成前後遮擋的豐富層次

重色的元素怎樣使用比較好？

裝飾材料都比較亮或者有大面積空白的時候，可以使用一些重色來平衡一下畫面。但重色元素要適量使用，如果面積太大會顯得頁面壓抑且不透氣。

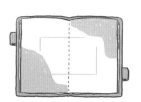 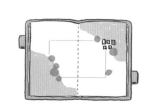 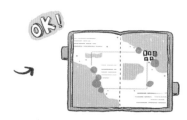

在頁面中間畫出方框，撕下大小合適的深色背景紙安排在角落。然後選擇和背景紙氣氛接近的紙膠帶繼續裝飾邊緣，寫出標題。最後進一步用小元素裝飾頁面，並完成內文。

再 舉 個 例 子

1　把重色安排在方塊裡

在頁面上規劃出規整的四格，裏面貼上形狀各異的手撕背景紙。像收集卡片一樣做出系列感，是一種能快速完成裝飾的方法。

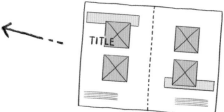

2　有縫隙的黑色拼貼

把黑色背景紙撕出縫隙並穿插各種元素，製造出豐富的層次，能讓中間的白色部分更加引人注目。

4.1.3 靈活切換複雜或簡單的圖片排列

 好例子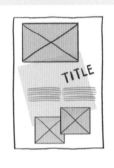

把頁面分割成上下兩個板塊,讓頁面所有的元素之間都互相穿插。比如標題壓著照片,照片壓著紙膠帶,雖然元素比較簡單,但層次比較多。

傾斜擺放的邊框底紙和標題,讓頁面變得更加靈活。

文字和小點綴活躍了頁面,但要注意數量,過多頁面看上去會散亂,起到反作用。

 怎麼讓裝飾看起來更加豐富有層次?

 一般來說,圖片擺放得中規中矩、使用正框、減少重疊的層次,頁面看起來就簡單。反面越增加內容、裝飾和層次,就顯得越複雜。

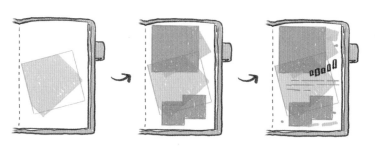

先畫出方框，貼好打底格子紙，再貼上地圖和照片。然後寫出標題和內文，最後增添裝飾就完成了。

再舉個例子

1　隨意的圖片排列

將圖片隨意地放置後再考慮其他內容的安排。利用方框分割線串聯全域，空隙處用小元素點綴。

2　並列排列圖片

將大小相等的圖片並列排放，是一種很簡單的安排方式。減少多餘的裝飾，強調頁面本身的清爽感。

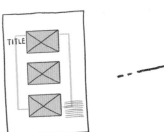

4.1.4　有主角作為視覺中心會更生動

好例子

拼貼好一個場景之後，如果加上人物元素會更容易讓人有代入感。不管是單個人物還是多個人物、半身還是全身，人物的氛圍都能更直觀地帶動情緒。另外，沒有比色彩斑斕的歡快人群更能傳遞好心情的了！

標題的配色選用和紙膠帶相呼應的顏色，可以在多色和純色之間自由選擇。

Q: 為甚麼畫面要有主角呢？

A: 畫面如果沒有主角就像一個精美的場景，但沒有演員上場，會讓人感覺稍稍有些遺憾。如果有了主角，畫面會更容易讓人有親切感。

先確定貼紙和主人物的位置，再補充其他人物。最後寫出標題和內文就完成了。步驟和頁面構成並不複雜，但效果顯得十分熱鬧。

再舉個例子

1　用動物做主角

沒有合適的人物元素時，使用擬人化的動物也能帶來同樣的效果，還比人物的元素多了一絲幽默感。

2　用身體局部做主角

沒有合適的人物或動物時還可以試試身體局部，就像很多人拍照只拍手或者腳一樣，它們也是讓人感到親切的元素。

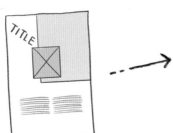

4.2 用裝飾來引導閱讀順序

4.2.1 選擇帶有指向性的裝飾元素

好 例 子

通常有箭咀指示的時候，人的視線會不自覺地順著箭咀引導方向看，這裏使用兩個不同顏色的箭咀進一步強調了主要裝飾。

箭咀離主體遠一點能強調整體，離主體近一點能強調局部。

 想要強調重點應該怎麼做呢？

 箭咀有強烈的指向功能，當有需要強調的元素時可以使用它來突出重點或者引導視線。

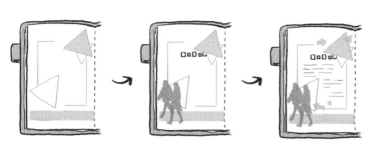

先用紙膠帶拉條出一個方框，然後在方框的對角線上裝飾標題和貼紙，最後書寫文字並補充細節，完成！

再舉個例子

將小三角的方向和大三角保持一致，也能起到指向作用。

1　連續的箭咀

連續的箭咀像傳送帶一樣給人連續前進的強烈動感，為人物紙膠帶增添了活力。

2　明確的指向手勢

除了常見的箭咀，手勢也是有明確指向性的元素，比箭咀柔和一些，也更具有裝飾感。

4.2.2 在左右構圖裡佈置相同元素

 好 例 子

左右兩頁雖然是不同的構圖，但因為使用了接近的裝飾元素，所以仍然給人強烈的系列感。

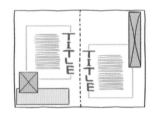

把文字從中間分開安排在左右兩邊，就像兩張等待拼在一起的卡片，很有設計感。

 想做對開頁面的時候要怎麼安排裝飾？

 安排頁面的時候選擇相同或者類似的元素，顏色上也形成統一，就會有很強的呼應感，使左右頁形成一個完整的整體。

根據內文的多少畫出左右兩頁的方框，再貼上格子貼紙作為打底。在格子貼紙的基礎上進一步增添裝飾，裝飾要和方框有一些遮擋穿插。最後把標題中分寫在左右兩頁，寫上內文就完成了。

再舉個例子

1 使用相同的構圖

左頁使用了較多的貼紙和紙膠帶，右頁只有少量紙膠帶。但通過一致的構圖，形成了左右兩頁的統一感。

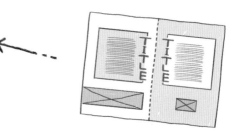

2 用裝飾連接左右頁面

用跨頁的方框連接左右頁面，是最直接讓左右建立聯繫的方法，並串聯了分散的元素。

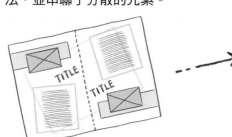

當別人盯著甚麼東西看的時候，你也會不自覺地順著他的視線往前看。利用這個原理，將視線設計為引導閱讀方向的元素。在這個案例中，標題放在貓和狗視線交匯的中心，不著痕跡地強調了關鍵字。

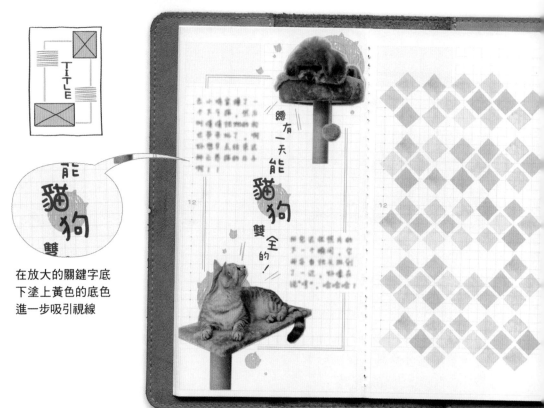

在放大的關鍵字底下塗上黃色的底色進一步吸引視線

 還有甚麼方式來引導視覺方向呢？

 圖片中角色的視線方向或者放射形的引導線等元素，都能影響並調動人的視覺方向，影響人的閱讀順序。

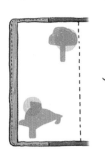 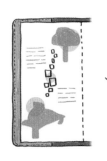 

在右上角和左下角貼主要圖片，注意視線交匯的位置，在這個位置寫出標題並放大關鍵字。然後寫上內文並增加邊框和裝飾。

再舉個例子

1　放射線聚攏視線

放射線有很強的聚攏感，將文字呈放射狀來安排，把需要強調的內容放在射線的中間，能使人一眼就注意到標題，很有設計感。

2　前進的方向引導視線

人物前進的方向也能引導視線，裝飾順著前進的方向反向擺放，散落的感覺也加強了人物強烈的前進感，看這頁時視線一定是快速從左掃到右邊的。

除了行走的人物，還可以試試汽車等有前進感的元素。

4.3 元素擺放對視覺感受的影響

4.3.1 用瑣碎的小圖來打造創意版面

好例子

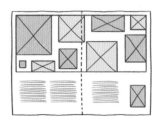

有五六張以上大小不一致的圖片時，將圖片修剪成大小不一的圓形或多邊形並排列在矩形框裏，即使圖片很多，也不散亂。

頁面下方只寫字就顯得有點頭重腳輕，可用小裝飾元素平衡頁面。

圖片太多時要怎麼安排比較好呢？

圖片大小一致的時候可以整齊擺放，如果大小不一致就要考慮圖片配色、角度等問題，一定要找到一個方式來分類圖片，避免堆在一起亂七八糟。

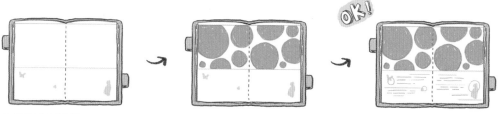

先規劃出頁面的分區，上半部分作為照片區，下半部分作為文字區。在上半部分排列好照片後，將超出方框的部分修剪掉，再寫上內文，增加點綴就完成了。

再舉個例子

1　大小一致的較大圖片

圖片大小一致時可以整齊地擺放在頁面邊緣，中間書寫文字。注意適量留白，避免頁面太滿。

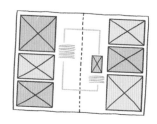

2　大小不等的中等圖片

圖片大小適中又都想用上的時候可以把它從中剪斷，貼在方框邊緣，做成不規則的邊框，是一種特別的裝飾手法。

適合顏色比較平均的圖片

4.3.2 巧妙利用裝飾做出輕鬆感

好例子

傾斜黏貼的便利貼打破了方方正正的呆板感，便利貼、分割線、邊框等方框，安排的時候都可以考慮傾斜擺放，能帶來輕鬆感。

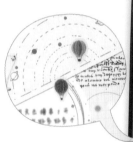

面積不大的熱氣球元素活躍了頁面氣氛，除此之外波點或小碎花也有同樣效果。

裝飾安排得太死板怎麼辦呢？

可以考慮改變裝飾擺放的方向，或通過增加一些小點綴，增加亮色等方式來提升裝飾的俏皮感。

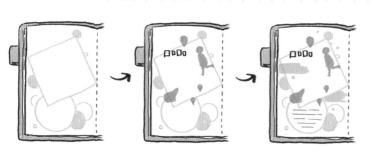

OK!

規劃好版面，畫出大小不一的圓後，貼上貼紙和便籤。再貼上人物貼紙和標題。最後寫上內文，並在頁面空白的地方用文字紙膠帶點綴。

再舉個例子

 1　粉嫩的顏色顯得輕快

使用較大面積的純色來做底色，能舒緩頁面的氣氛。除了粉紅、粉黃，粉藍、粉綠等柔和的顏色也有同樣效果。

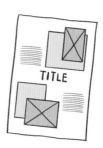

2　帶來輕鬆感的植物

植物素材很容易就能讓人放鬆心情，頁面上使用一些隨手撿到的葉片作為裝飾素材，能為頁面帶來一絲森系氣氛。

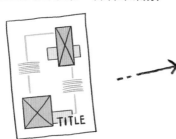

139

4.3.3 巧用裝飾元素讓畫面動起來

好例子

把音符紙膠帶分段並錯開拼貼，形成飄揚的動感，為頁面增添了活力。

標題從小到大的寫，有喊出來的感覺。

 怎樣讓裝飾顯得更加生動靈活呢？

 有很多小心機可以用在不同的裝飾元素上，直板的拉條可以錯開黏貼，單個的裝飾元素可以沿著曲線來拼等等，都能為頁面增加動感。

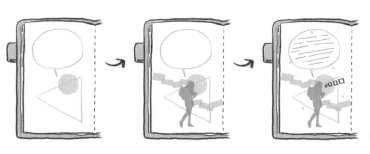

畫出三角形和對話框，並貼上圓形便籤。再貼上人物紙膠帶，分段貼出音符。最後寫出標題和內文，畫出音符點綴。

再舉個例子

1　流線型的排列

在頁面上規劃一條曲線，沿著這條曲線的軌迹來安排裝飾，有種飛在半空的感覺，有流暢的動感。

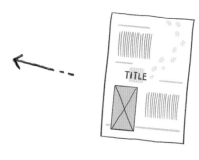

Tips 死板的拉條紙膠帶應該怎樣讓它動起來呢？這裏用音符紙膠帶來舉例，巧妙的分段並錯開黏貼賦予了它動感。

把紙膠帶一段一段地撕下來，長短可以稍有區別。

手撕的膠帶邊緣會更自然

把兩段紙膠帶角度稍微錯開貼在一起

多黏貼幾段，就有音樂飄揚的感覺啦。

好例子

用邊框紙膠帶打底，然後前後穿插上人物和花的紙膠帶，增添了層次感，讓畫面視覺效果變得豐富。

好像漫不經心貼在邊框上的圓點也和邊框形成了前後層次

邊框加上一層厚度，就像投影一樣，顯得更立體了。

怎樣讓畫面效果顯得更豐富呢？

使用同樣的裝飾元素，羅列式地一個個擺放出來會顯得很平淡，但如果設計一下安排出前後關係，就能打造出豐富的層次感。

OK!

畫出邊框，貼上打底文字紙膠帶，再完成主要圖案的拼貼。貼方框的時候不要貼死，把花朵人物紙膠帶貼好後再壓實。最後寫內文，完成！

再舉個例子

1 用立方體增加空間感

把立方體想像成一個房間，人物站在地板上。這樣就在小小的本子上打造出了一個虛擬的空間。是簡單又出效果的方法。

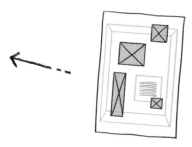

Tips 人物和邊框穿插結合，讓平面的元素營造出奇妙的空間感。這是一種很容易讓人產生驚艷感的裝飾小技巧，快來掌握做法吧！

菱形的框能更強烈地營造出透視感

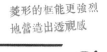

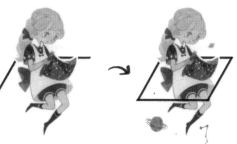

先貼好靠後的兩條框線，再貼上人物圖案。最後把前面的兩條邊封上就完成了。人物就像從方框裏穿過一樣，還可以㘴週邊點綴一些小圖案。

4.3.5 自由轉換規則與不規則裝飾

好例子

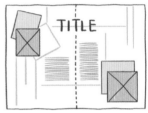

裝飾的整體輪廓是一個不規則形狀，顯得輕鬆又隨意，但這種版面，心裏也要有區塊意識，否則就會雜亂無章。

不規則的碎散小元素能使頁面充滿節奏感，但不宜到處都是。

 怎麼改變手中素材的外形樣式呢？

規整圖片可以通過修剪邊緣等方式變成不規則樣式，而不規整圖片則可以通過加底色或邊框的方式變規整。都是根據頁面設計來靈活變動。

先蓋好印章，把方塊傾斜著擺放作為打底，再貼上蝴蝶和人物貼紙。安排好標題和內文，最後用碎散的短線和小方塊、數字等元素製造動感，就完成啦！

再舉個例子

1　用底色使裝飾規整

在不規整的裝飾下用純色方塊做底，能強化區塊感使裝飾變規整。

裝飾元素貼在方塊的交界處，能讓版面不死板。

2　把裝飾集中到一起

把裝飾物集中安排，並用大塊文字紙膠帶做底，統一裝飾輪廓。把頁面分割成了裝飾、內文、標題三個版塊，顯得規整。

3　保留裝飾的外形

將裝飾分開拼貼，保留裝飾不規整的外形。再用標題和印章穿插強化這種不規整感。

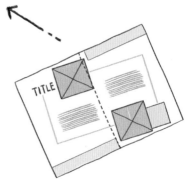

 Tips　有時候只需要一個完整印章上的局部圖案，該怎麼操作呢？其實只要一張白紙就可以實現了，來看看怎麼做出來的吧！

用一張紙把不需要的圖案遮擋住。可以修剪一下紙張，只露出需要的部分。

用印章蓋好印台，確保需要的圖案蓋好了，其他不需要的部分可以忽略。

用同樣的方法把原本組合在一起的圖案拆分開，蓋出自己需要的圖案。

Part 5

用好看的配色
來吸引眼球

5.1 色彩在版式中的妙用

5.1.1 利用色彩的濃淡來指引視線

好 例 子

素材按照顏色的深淺來依次排列,能讓人的視線跟隨轉移,是讓版面節奏感加強的有效方法。

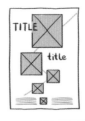

除了顏色本身的深淺,還可以控制它們在版面中的比例,從而起到視線引導的作用。

如果色塊間距較大,可以用線條來將它們串聯。

顏色單一的情況下如何讓版面更精彩?

可以從色彩的濃淡變化裏找到創新點,讓版面不單調。

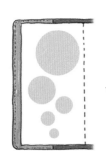 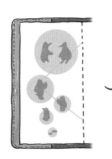 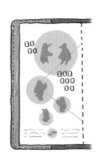

OK！

先將拼貼元素按照從大到小、從淺到深來排列，然後豐富細節的裝飾，最後書寫文字，完成！

再舉個例子

裝飾圖案的顏色分佈要和箭咀保持一致，這樣版面才能配色統一。

1　用漸變色來引導視線

用不同深淺的藍色紙膠帶組成箭咀的形狀，既能讓人的視線從上往下移動，還能代表溫度的直線下降。

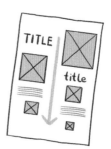

2　加強色塊的聯繫

在沒有任何輔助線的情況下，可以讓色塊從上往下的局部重疊。這樣能縮小視線的移動範圍，讓版面更集中。

5.1.2 用底色來統一不同顏色的素材

 # 好例子

當版面中有很多顏色不一的小元素時，可以將它們按照顏色分類，然後用同色的背景紙來統一，這樣版面就不會零零散散了。本案例中，就將紅色和綠色的素材分別用底色統一起來，運用了這個方法，就連「紅配綠」也能變好看呢！

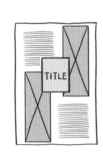

背景紙上的裝飾元素
可以突破邊界，這樣
版面會更靈活。

 裝飾的配色花裏胡哨
很雜亂要怎麼辦？

 將相同顏色的素材集中起來，並用底
色統一，就能改善！

先在頁面上貼出上下兩
塊不同底色背景紙，然
後將散亂的素材按照顏
色拼貼在底色上，隨後
書寫文字就完成了。

再舉個例子

1　彩色和黑白的分區

彩色元素和黑白元素組合在一起
時，也可以用底色來分別統一。
這樣既能有明顯的視覺變化，又
不會過於違和。

在棕色區域
內裝飾少許
黑色元素，
和灰色區域
形成呼應。

2　多個底色區域的組合

當版面中的底色很多時，可以讓每個
區塊的顏色儘量接近。比如都屬藍紫
色或橙黃色，這樣版面才能色調統一。

5.2 利用配色來加強視覺感受

5.2.1 一場亮色組成的視覺大爆炸

好例子

飽和度越高的顏色就越能刺激眼球,所以我們可以大範圍地運用鮮艷的純色,來製作一個又一個的視覺炸彈。

在黃色中加入對比強烈的黑色,能提高視覺衝擊力。

 怎樣讓版面一下子引人矚目?

 可以大膽地使用飽和度高的顏色,並且放大它們的面積,給人留下深刻的印象。

OK！

先大面積地鋪墊明黃色的背景紙，然後用重色裝飾版面，最後書寫文字，完成！

再舉個例子

1　增加純色的細節

可以選擇顏色相同，但花紋不同的素材組合在一起。這樣既能擴大顏色的面積，又能豐富版面的細節。

2　兩種顏色的配搭

在大面積的藍色中添加極少的紅色做對比，能讓版面顯得設計感十足，非常潮！

要選擇一個顏色作為主體色放大，不能每個顏色都大面積出現。

好例子

黑白的版面有獨特的味道，但是純粹的黑白又稍顯單調。我們可以在大面積的黑白裝飾中，增加少量的彩色，以此作為版面的視覺重點，讓你的手帳更加出色！

彩色的文字放在照片邊緣，能讓照片和內頁銜接得更自然。

 黑白的手帳怎樣才不單調？

 可以在黑白中加入少量的彩色，讓兩種顏色形成鮮明的視覺對比，以此來提高版面的吸引力。

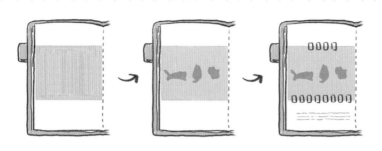

OK!

先將黑白的照片放在頁面的中央，然後在照片內裝飾彩色的圖案，最後書寫標題和文字，就完成啦！

再舉個例子

1　唯一的彩色

在分散的黑白灰中安排唯一的彩色，能給人「萬紅叢中一點綠」的視覺感受。

2　增加黑白佔比例

在整塊的黑白照片中添加少量的彩色，能營造出一種場景感。

在半透明的硫酸紙上書寫文字，能與照片融合得更自然。

5.2.3 怎樣配搭都不出錯的類似色

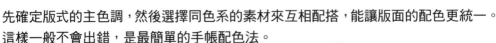

先確定版式的主色調，然後選擇同色系的素材來互相配搭，能讓版面的配色更統一。
這樣一般不會出錯，是最簡單的手帳配色法。

It is better for us to dance

如果文字也能保持
同樣的顏色，版面
會更加統一。

怎樣讓手帳的配色
又簡單又好看？

選擇相近的顏色來裝飾版面吧，只需
要準備顏色類似的素材就可以。

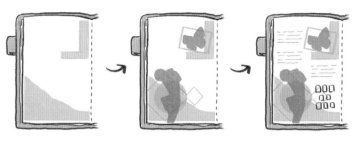

先拼貼大面積的底層裝飾，然後增加顏色較深的主體物，最後書寫文字。注意拼貼的素材要互相重疊遮擋，做出層次感。

再舉個例子

1　藍色的版面

不同圖案的藍色素材組合在一起，能帶給人清爽乾淨的視覺感受。

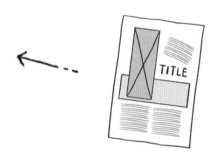

2　紅色的版面

不飽和的紅色配搭少量的黑色，能營造優雅慵懶的氛圍。

5.2.4 對比色也可以用得很柔和

對比色就是俗稱的「紅配綠」、「黃配紫」，用對比色時，一定要控制顏色的比例。
比如下面的例子，就用了紅配綠。首先降低顏色的飽和度，接著只用一點點的紅色
做點綴，這樣整個版面就不會花哨俗氣，反而清新了起來。

如果小元素太散漫，
可以用幾何線條將
它們稍做統一。

對比明顯的顏色用
起來總顯得很土氣
怎麼辦？

千萬不要兩種顏色都大面積出現，可
以選擇一個顏色做主體色，讓另一個
顏色僅起到點綴的作用就好啦。

先圍繞著頁面邊緣裝飾小元素，然後用線條串聯起來，再拼貼人物貼紙，最後書寫文字，完成！

再舉個例子

Small Water Flower

1 分散大面積的顏色

將小單位的顏色密集組合在一起，就變成有規模的大塊面了，這種配色能讓版面更透氣。

TITLE

2 加強顏色的對比

高飽和度的對比色能加強版面的視覺衝擊力，但是同樣要拉大兩個顏色的比例，找到主體色。

Twinkle, twinkle, little star. How I wonder what you are. Up above the world so high. Like a diamond in the sky. Twinkle, twinkle, little star. How I wonder what you are!

作者
飛樂鳥工作室

責任編輯
李穎宜

美術設計
馮景蕊

排版
辛紅梅

出版者
萬里機構出版有限公司
香港北角英皇道 499 號北角工業大廈 20 樓
電話：2564 7511
傳真：2565 5539
電郵：info@wanlibk.com
網址：http://www.wanlibk.com
　　　http://www.facebook.com/wanlibk

發行者
香港聯合書刊物流有限公司
香港新界大埔汀麗路36號
中華商務印刷大廈3字樓
電話：（852）2150 2100
傳真：（852）2407 3062
電郵：info@suplogistics.com.hk

承印者
中華商務彩色印刷有限公司
香港新界大埔汀麗路36號

出版日期
二零二零年二月第一次印刷